Teuntje Knol
en de knotsgekke honden

Sanne de Bakker

Met tekeningen van Georgien Overwater

Zwijsen

Toegekend door KPC Groep te 's-Hertogenbosch

1e druk 2007

ISBN 978-90-276-0593-1
NUR 283

Illustraties: Georgien Overwater
Omslagfoto: Marijn Olislagers
Vormgeving: Eefje Kuijl
Uitgeverij Zwijsen B.V., Tilburg

Voor België:
Zwijsen-Infoboek, Meerhout
D/2007/1919/166

Inhoud

1 Teuntje Knol

Hoi! Ik ben Teuntje Knol. Twaalf jaar oud. Mijn moeder heeft een warenhuis voor honden. Warenhuis Woef! Soms schaam ik me er wel eens voor, want het is heel tuttig! Pas vond ik een boodschappenbriefje op straat, vlak bij warenhuis Woef. Kijk maar, dan weet je meteen waarom ik het zo tuttig vind:

- Zonnebril (nr. 12 uit de catalogus)
- Blingbling-halsband van Dolce Dogana (die roze met diamanten aan de zijkant!)
- Regenjas van Dolle Hond
- Afdeling delicatessen: onsje zalmbrokjes

Dit is wat warenhuis Woef verkoopt, maar het is niet alles. Je kunt er ook zilveren drinkbakjes kopen voor de hond, cd's met hondenmuziek, hondennamenboeken, windkoekjes voor als honden verstopt zitten (daar gaan ze afschuwelijke stinkscheten van laten!), kleding (dus mutsen, petjes, jasjes, dusters, avondkleding, noem maar op), haarspeldjes, hondenparfum, zonnebrillen, ga zo maar door.

Nou, ik zat gister aan de keukentafel te ontbijten. En wat stond er in de krant:

De nieuwe kledinglijn voor honden

Blaf, ik wil - De modeontwerpers van onze trouwe viervoeters hebben niet stilgezeten. Voor honden is er nu zelfs trouwkleding verkrijgbaar in alle soorten en maten. Maar ook voor hun dagelijkse leven zijn er hippe outfits te koop. Wat dacht je van een vrolijke hawaïbloes voor jouw hond?

De garderobekasten van de honden kun je inmiddels helemaal volhangen. Vooral jasjes om de beestjes warm aan te kleden zijn populair. Een tijdje terug was er een dag georganiseerd waarop honden in het huwelijksbootje konden stappen. De trouwring werd vervangen door een hartvormige hondenpenning en het koppel kreeg een echte trouwakte. Maar bij een trouwdag hoor natuurlijk ook een prachtige outfit.
Een Engelse dierenwinkel verkoopt complete trouwsetjes. Zo heb je speciale trouwhoedjes voor de vrouwtjes en de mannetjes kunnen uit verschillende dassen en strikken kiezen.
Nu maar hopen dat er snel weer een hondentrouwdag georganiseerd wordt ...

Hippe honden

De Engelse dierenwinkel is geen uitzondering. Ook in Nederland zijn er winkels waar veel hondenkleding te koop is. De nieuwe collectie is net bekend geworden. Behalve truien en T-shirts zijn er ook bikini's, zwembroeken, badjassen, petten en sieraden te koop. Voor speciale feesten, zoals carnaval, zijn er ook grappige outfits te krijgen. Zo kun je jouw hond omtoveren tot hotdog. Het merk Von Dog dat erg lijkt op Von Dutch, is het meest populaire merk van dit moment.

De nieuwe hondentrend

Wat is in?
* Zomerkleding met bloemetjesprint
* Halsbanden met glitter
* Gebreide truien met capuchon

Uit: Kidsweek

Het was ochtend (gisterochtend dus) en mijn moeder las voor uit '101 dalmatiërs' (niet aan mij trouwens, maar aan haar hondjes: Jennifer de poedel en Elisabeth de chihuahua – beetje een lastig woord dat laatste, maar je zegt: sjie-wa-wa.)

Ik zat me weer eens lekker te ergeren, want wie leest er nou voor aan zijn hond? Mijn moeder natuurlijk! Doe ik echt niet! (Ik heb zelf ook een hond, hij heet Harrie en hij is een heus vuilnisbakkenras. Een kruising tussen een Deense dog en een herdershond.)

Goed, ik onderbrak mijn moeder en vroeg: 'Mam, heb jij de krant vandaag gelezen?'

'Hoezo?' vroeg ze. Ze keek nerveus op haar horloge en tikte met haar lange roze nagels tegen haar wang.

'Nou, er staat een artikel over ...'

Mijn moeder onderbrak mij: 'Teuntje, doe je kauwgom uit je mond als je praat! Je moet sowieso geen kauwgom eten met je beugel! Hoe kun je?'

Ik haalde diep adem en spuugde mijn kauwgom uit. Heel strak dit keer, want hij zeilde zo door de lucht en kwam precies in de prullenbak terecht.

Mijn moeder keek me met een verwijtende blik aan. Ik wist wel dat dit niet mocht, maar soms ben ik regels zo zat.

Ik ging verder. 'Er staat een artikel over hondenspullen in. Heb jij bijvoorbeeld trouwkleding in Woef?'

Mijn moeder schudde haar hoofd. In haar grote bos krullen zat een knalroze band die ervoor zorgde dat haar kapsel bij windkracht tien nog steeds precies hetzelfde zat.

'En heb jij zwembroeken, badjassen, carnavalskleding?'

Mijn moeder sprong op en legde haar boek opzij. Elisabeth en Jennifer trippelden achter haar aan. Tot Harrie dreigend opstond en de twee wegkeek.

‘Rothond,’ zei mijn moeder tegen Harrie. Ze pakte het krantenartikel en begon te lezen. ‘Wat ééénig!’ gilde ze. ‘Hier ga ik achteraan! Vooral de hondencarnavalskleding, want binnenkort is het weer hondencarnaval!’

Heb je ooit wel eens een hond meegemaakt die echt kan huilen? Ik bedoel dan huilen met tranen! En niet omdat zijn ogen ontstoken zijn, maar echt omdat hij ontroerd is of verdrietig? Elisabeth, de hond van mijn moeder (die sjie-wa-wa), kan dat! Echt waar!

Nou, en Elisabeth was gister jarig. Mijn moeder had tot mijn grote ergernis een echte uitnodiging gemaakt voor haar partijtje, met een verlanglijst erbij:

Met dikke koeienletters stond erop: SURPRISEPARTY VOOR ELISABETHS DERDE VERJAARDAG. En dan stond er ook nog met grote letters bij: BEK DICHT HOOR, WANT HET IS EEN ECHTE VERRASSING.

Ja zeg, sorry hoor! Alsof die honden dit kunnen verklappen met hun geblaf.

Dit was het verlanglijstje:

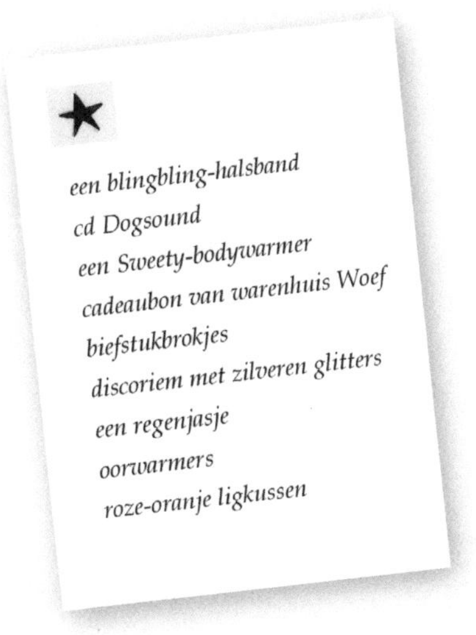
een blingbling-halsband
cd Dogsound
een Sweety-bodywarmer
cadeaubon van warenhuis Woef
biefstukbrokjes
discoriem met zilveren glitters
een regenjasje
oorwarmers
roze-oranje ligkussen

En dat is typisch mijn moeder, want ze wil natuurlijk goede zaken doen. Dus zet ze alleen maar dingen op het lijstje die te koop zijn bij háár warenhuis Woef!

Nou, en toen kwam mevrouw Jellema. Mevrouw Jellema heeft een hondencrèche en uitlaatservice. De hondencrèche is voor mensen die werken maar toch een hond willen (net als mensen die werken en toch kinderen willen). En de uitlaatservice is voor mensen die een dagje weg willen. En ook voor mensen die werken maar van wie de hond niet een hele dag van huis wil. Mijn moeder had aan mevrouw Jellema gevraagd of zij Elisabeths vriendjes en vriendinnetjes met haar busje wilde ophalen en bij ons wilde brengen.

Mevrouw Jellema is zo deftig dat iedereen die naast haar staat er armoedig uitziet (behalve de koningin).

De deurbel rinkelde schel door het huis. Elisabeth en Jennifer holden naar de deur en blaften en sprongen. Ze hadden beide een roze jurkje aan en een strik op hun kop, maar die zat al scheef voordat alle honden binnenstormden.

Harrie was naakt, zoals mijn moeder dat minachtend noemde. Maar ik weigerde hem een jasje, jurkje, truitje of wat dan ook aan te doen. Een hond is een hond, vind ik!

Ik haalde stiekem een kauwgompje uit mijn zak (mijn moeder haat het als ik kauwgom eet, vanwege mijn beugel) en stopte het lekker in mijn mond. En toen leek het alsof ik in een film zat die achterstevoren werd afgespeeld. Dat kwam door de chaos. Er stormden vijftien honden binnen. De een nog erger gekleed dan de ander. Eén had er een tutu aan, alsof ze ieder moment een pirouette ging draaien. Ook was er een met een baseballpet op zijn kop (die zat zo strak om zijn nek gebonden dat hij als enige hond niet blafte, omdat dat waarschijnlijk niet meer ging). Een ander had een stoer truitje aan met capuchon; heel onhandig, want de capuchon viel steeds voor zijn ogen als hij aan de grond wilde snuffelen. Om een lang verhaal kort te maken: het was een verzameling knotsgekke honden!

Maar ik wil nog even terugkomen op Elisabeth. Of je het nou wilt geloven of niet: toen de deur openging en al haar vriendjes als verrassing voor haar neus stonden, rolde er een traantje over haar wang van ontroering. (Tenminste, mijn moeder zei dat het ontroering was. Ik denk eigenlijk dat het stress was.) Het zag er belachelijk uit, die traan en dan dat roze, tuttige jurkje.

Ik zal je eerlijk bekennen: als ik een hond was geweest had ik er alles aan gedaan om mijn baasje tegen te werken. Met zo'n roze jurkje aan zou ik een overdosis paardenstront eten en lekker over het jurkje kotsen. Of ik zou zo veel stinkwinden laten dat mijn baasje me op straat zou zetten. Of ik zou met mijn bek het jurkje aan flarden scheuren! Ja, daarom waren dit knotsgekke honden: omdat ze dit toelieten!

Het was een rommelige middag. Mijn moeder had een leuk spelletje bedacht voor de honden: koekhappen! Maar de koeken hingen te hoog, waardoor alleen de jack russell erbij kon (jack russells kunnen heel hoog springen). Harrie had er trouwens ook bij gekund maar die keek een beetje neer op dit gebeuren. Dat zag je aan hem. Hij lag maar in een hoekje naar al die knotsgekke honden te staren.

Goed, die jack russell maar springen, en hij vrat alle koek op. Misselijk dat hij werd! Na een uur begon de ellende. Alleen maar kotsen. En natuurlijk op plekken waar het slecht uitkomt: op het kleed, in de tijdschriftenmand, op mijn moeders pantoffels.

Toen besloot mijn moeder naar de duinen te gaan. (Had ik nog niet verteld, hè? Dat we vlak bij de duinen wonen.)

De honden waren helemaal door het dolle heen. Tot overmaat van ramp sprong er een in het water, waarna alle andere honden volgden. Mijn moeder riep de longen uit haar lijf: 'Neeeeeee!'

En toen sprongen ze er weer uit en gingen ze in het zand rollen. Alle hondenjurkjes, tutuutjes, pakjes helemaal vies en zwart.

Maar dit was nog niet het ergste. Want aan het einde van de dag kwam mevrouw Jellema alle honden ophalen. Alle honden waren inmiddels schoongespoeld in de hondenbadkamer bij ons in huis (ze waren zelfs allemaal geföhnd door mijn moeder). Op dat moment gebeurde pas echt het ergste.

De deurbel rinkelde. Een koor van geblaf klonk door de kamer. Mijn moeder liep tikketikketik op haar hakjes over de parketvloer naar de gang. Ik volgde haar. Harrie bleef achter in de woonkamer en keek alle honden dreigend aan. De honden durfden niet dicht bij hem te komen. Ze liepen met een grote boog om hem heen, de angsthazen.)

'Hebt u het geheurd?' vroeg mevrouw Jellema met haar deftige stem.

'Wat?' vroeg mijn moeder. Ze streek haar roze jurk glad en fatsoeneerde met haar handen haar krullende kapsel. Dat was eigenlijk niet nodig, omdat het precies hetzelfde zat als uren geleden.

'U doet toch ook mee met de hondenshow?' vroeg mevrouw Jellema.

Mijn moeder gilde van het lachen. 'Ik niet, hoor! Maar Elisabeth en Jennifer!'

Mevrouw Jellema lachte mee en zei: 'Dat bedoel ik natuurlijk ook.'

(Mijn moeder kan best meedoen trouwens. Ze lijkt wel een beetje op een poedel. Wel een lieve poedel, hoor! Irritant en lief.)

Mevrouw Jellema kuchte bescheiden. Toen zei ze: 'Ik heb geheurd dat Helga, de mopshond van mevrouw Paddeburg, ook meedoet aan de hondenshow. Rampzalig! De show is al over zes weken. Wat kunnen we hier nog aan doen?'

Mijn moeder werd bleek en haar ogen werden groot.

Je moet weten: mevrouw Paddeburg heeft een beautysalon voor honden. Ze masseert honden, ze knipt hun haar in model, verzorgt hun nagels ... noem maar op. Mijn moeder gaat er dikwijls naartoe met haar honden. Toch mag ze mevrouw Paddeburg niet. Mevrouw Paddeburg schept altijd op en ze maakt haar eigen hondjes altijd het mooist.

'Maar dat is een ramp!' stamelde mijn moeder.

PS Voor het geval dat je nog steeds niet gelooft dat sjie-wa-wa's kunnen huilen, hier is het bewijs:

De chihuahua komt uit de provincie Chihuahua in Mexico en dankt hieraan zijn naam.

Het is het oudste Amerikaanse hondenras, ook de kleinste hond ter wereld en zeer populair zowel in de VS als in Engeland.

Karakter
Dit kleine Mexicaantje is heel dapper en waakt als de beste. Het lijkt wel of hij zich niet bewust is van zijn geringe formaat. De chihuahua gaat ook een grote hond niet uit de weg. Hij is wel minder geschikt voor kleine kinderen, want zij kunnen hem gemakkelijk pijn doen. Het is tevens het enige hondje dat echte tranen kan huilen. Lief en vrolijk van karakter, slim en levenslustig.

Bron: www.hondenplaza.nl

2 Mevrouw Knol

Ik zal me eerst even voorstellen. Ik ben mevrouw Knol, de moeder van Teuntje. Ik heb net een internetsite laten bouwen die ik helemaal zelf ga onderhouden. Werkelijk enig! Je kunt ergens op klikken (ik begrijp nog niet zo goed waarop) en dan zie je wat voor spulletjes mijn warenhuis Woef allemaal verkoopt. Zo heb ik net beeldige trouw-, zwem- en carnavalskleding voor honden besteld, en nog iets – zo snoezig – badjassen in allerlei schattige kleuren. Binnenkort zijn deze nieuwe artikelen te koop in mijn warenhuis.

Op de website staat ook informatie over hondenshows. Ik moet nog een beetje doorkrijgen hoe de site werkt, maar het wordt kostelijk.

Maar nu het mooiste: als je op 'onze poekies' klikt en daarna op 'Elisabeth' of 'Jennifer', dan kun je hun dagboeken lezen (die ik zelf bijhoud). Harrie doet niet mee; hij is geen echte hond, tenminste, geen echte rashond.

Enfin, de dag na Elisabeths verjaardag begon ik haar dagboek te schrijven op internet, ik was er helemaal opgewonden van (ze heeft zelfs een eigen handschrift!):

klik onderhoud site www.warenhuiswoef.nl
klik onze poekies
klik Elisabeth

Attach Files

Lief dagboek,

Ik ben Elisabeth 🙂 en gister was ik jarig ! Ik ben drie jaar geworden. Al mijn vriendjes en vriendinnetjes kwamen ook, als verrassing. Ze waren allemaal snoezig gekleed. Zelf had ik mijn roze jurk aan van pure zijde en ik had een prachtige strik in mijn haar. Toen we naar de duinen gingen, kwamen er allemaal mannetjeshonden achter me aan. Ik had veel sjans, omdat ik er zo mooi uitzag.
Vandaag ben ik een beetje chagrijnig. Het regent buiten, dus we zijn maar kort gaan wandelen. Ik had mijn nieuwe regenjasje aan en weet je wat zo gek was? Ik keek steeds achterom omdat ik allemaal getik achter me hoorde. Mijn baasje moest hard lachen, want zij wist wel wat het was. Het duurde even voordat ik het doorhad, maar toen kwam ik erachter dat het door het regenjasje kwam. De regen tikte namelijk hard op het jasje. Nou, toen ...

‘Wat ben jij nou aan het doen?’

Ik draaide me om. Vlak achter me stond Teuntje met haar hond Harrie. De eerste gedachte die ik had was: o, kon ze zich maar eens fatsoenlijk kleden! Zo’n broek met gaten is toch geen gezicht? En dan dat haar: alsof er een duif in heeft gebroed. ‘Zeg het eens, schat, en doe je kauwgom uit je mond!’ zei ik bits. Vreselijk vind ik dat, dat eeuwige gekauw. En dan te bedenken dat ze een beugel heeft, zo een met slotjes. Op een dag gaat het mis!

‘Sinds wanneer zit jij op internet?’ Teuntje spuugde de kauwgom uit haar mond. En ja hoor, tot overmaat van ramp ving Harrie de kauwgom met zijn bek. Altijd weer hetzelfde liedje.

‘Harrieee!’ riep Teuntje kwaad.

En toen kreeg je weer datzelfde gedoe: Harries bek open, wat al geen pretje is, want er komt een walm uit van heb ik jou daar, het lijkt wel een visfabriek. Dan dat gepulk van Teun met haar vingers tussen zijn tanden. Harrie die dit niet prettig vindt en hard begint te piepen (moet je je voorstellen: zo’n joekel van een beest en dan dat tuttige gedrag – zegt Teun altijd dat mijn hondjes tuttig zijn – moet je Harrie zien). Gelukkig deed ze het nu niet, maar in het ergste geval stopt Teuntje per ongeluk de kauwgom weer in haar eigen mond (en dan te bedenken dat Harrie het liefst verse paardenstront vreet).

Teuntje keek me aan, haar ogen twinkelden ondeugend. Ze ging naast me zitten op de roze sofa en vroeg nog eens: ‘Sinds wanneer zit jij op internet?’

‘Sinds kort,’ antwoordde ik. Ik staarde naar mijn beeldscherm en zuchtte. Ik zat er net zo lekker in en nu was ik helemaal afgeleid.

Teuntje boog zich naar voren, tuurde naar de monitor en

haar ogen werden steeds groter. 'Nee, hè!' riep ze toen.

'Wat "nee hè"?' vroeg ik.

'Je gaat toch niet een dagboek schrijven voor Elisabeth?' Teuntje keek me aan alsof ze vies van me was.

'Jawel,' zei ik vrolijk. 'En ook voor Jennifer. Ik heb een site laten bouwen voor ons warenhuis. En op die site kun je hun dagboek lezen. Enig toch?'

'Afschuwelijk!' riep Teun. Ze legde haar voeten op de tafel en zakte kwaad onderuit.

Ik mepte haar benen weg. 'Gedraag je, Teuntje!'

Teuntje en ik zijn totaal anders. Ik denk dat Teuntje meer op haar weggelopen vader lijkt. (Haar vader is weggelopen toen ze drie jaar oud was. Hij is nooit meer teruggekomen.) Hij was ook zo'n stoer type en vond alles altijd maar tuttig. Ik wilde Teuntje eigenlijk Elisabeth noemen, maar natuurlijk vond hij dat tuttig! Dus is het Teuntje geworden en heb ik mijn hondje maar Elisabeth genoemd.

Toch kunnen Teuntje en ik goed met elkaar opschieten. We schamen ons diep voor elkaar maar we hebben zo nu en dan enorm de slappe lach.

'O, trouwens!' zei Teun ineens. Ze propte haar hand in haar zak en haalde er een verfrommeld stukje papier uit, een krantenknipsel. 'Ik ben hartstikke hip, mam. Veel hipper dan jij!'

'Hoe bedoel je?' vroeg ik verbaasd.

'Nou, Harrie is geen kruising tussen een Deense dog en een herdershond. Nee, hij is een Heense hog. Lees maar!' Ze duwde het krantenartikel in mijn hand en ging weer onderuitgezakt zitten.

Ik las:

Ik wil iets anders

Wel allebei een stamboom, maar niet van hetzelfde ras. Dan heb je een hybride hond. En laat dat nu net de trend zijn in sterrenland. Het meest populair is de labradoodle: een kruising tussen een labrador en poedel.
De hype van de gekruiste hondenrassen begon in Hollywood. Acteur Sylvester Stallone werd toen gezien met een puggle, dat is een kruising tussen een pug en een beagle. Zangeres Jessica Simpson liet zich fotograferen met een maltipoo, een kruising tussen een poedel en een malteser. Intussen is de trend overgewaaid naar Europa. Engelse sterren zijn gek op een cockerpoo, een kruising tussen een cockerspaniël en een poedel.

Uit: Kidsweek

Ik moest hard lachen! 'Meisje toch, dit is maar een berichtje. Je kunt mij niet vertellen dat een labradoedel of in jouw geval een Heense hog populairder is dan mijn poedel.' Ik tuurde even naar Harrie en dacht: het is een lieverd, maar hij is oerlelijk. Kijk, hij heeft de grootte van een Deense dog, hij is echt een soort paard en hij heeft een oergrote kop. En dan heeft hij de vacht van een herder. Geen gezicht! Hij kijkt uit zijn ogen alsof hij de wereld bezit, terwijl hij niet eens een stamboom heeft. Nee, geef mij Elisabeth en Jennifer maar. Zij zijn de adel, het koninklijke bloed binnen de hondenwereld.

'Nou,' onderbrak Teuntje de stilte, 'ik vind Harrie de mooiste en de stoerste en de liefste en ...'

De deurbel klonk schel door het huis. Harrie begon onmiddellijk oorverdovend te blaffen. Ik stond op en liep naar de voordeur.

'Mevrouw Jellema!'

Mevrouw Jellema keek me bezorgd aan. Net als altijd zag ze er beeldschoon uit. Alsof ze op bezoek ging bij de koningin. Zo klinkt ze ook. Ze heeft een deftige uitspraak, alle o's zijn eu's:

waarvoor = waarveur
hoor = heur
oor = eur

Maar soms zegt ze 'deur' en dan denk ik dat ze 'door' bedoelt, dat is wel verwarrend.

'Hebt u me gister wel goed geheurd?' vroeg mevrouw Jellema voorzichtig.

Ik knikte. Door de opwinding van mijn site was ik even helemaal vergeten dat ze me slecht nieuws had gebracht de dag ervoor (erveur). Maar nu was het alsof ik ineens een plens ijskoud water in mijn gezicht kreeg. Echt afschuwelijk: de mopshond (Helga) van mevrouw Paddeburg ging ook meedoen aan de hondenshow.

'Mogen we binnenkomen?'

'Uiteraard!' Het viel me nu pas op dat ze haar teckel Karla bij zich had.

Ik ging mevrouw Jellema voor naar de woonkamer. Even schaamde ik me diep voor Teun die in de keuken een pak melk tegen haar lippen hield en er grote slokken uit nam. 'Laat dat, Teuntje!'

Gelukkig was Teun wel zo beleefd om mevrouw Jellema een hand te geven.

'Laat je ons even alleen, Teuntje?' vroeg ik.

Teuntje knikte. 'Kom Harrie!' riep ze.
Harrie rende achter haar aan. Even bleef hij stilstaan bij Karla, de teckel. Harrie grijnsde vals en liet al zijn tanden zien. Karla bibberde op haar pootjes. Teuntje rukte aan Harries halsband en verdween de gang op.
Mevrouw Jellema tilde Karla op. Ze gaf wat zoentjes op haar hoofd, waardoor haar lippenstift een rode mondafdruk achterliet op Karla's vacht. Toen kwam ze tegenover me staan. 'Ik heb een list bedacht om Helga, de mopshond van mevrouw Paddeburg, uit te schakelen voor de show.'
Verbaasd keek ik de keurige mevrouw Jellema aan. 'Bedoelt u vermoorden?'
'O nee, dat nooit! Nee, ik heb iets bedacht waardeur hij niet zo aantrekkelijk meer zal zijn.'
Ik viel mevrouw Jellema in de rede: 'Zodat hij de show niet kan winnen ... Zodat mevrouw Paddeburg eens ophoudt met dat opscheppen?'
'Inderdaad!' zei mevrouw Jellema.

3 Teuntje Knol

Wat zijn volwassen mensen toch kinderachtig! Niet te filmen! Een paar dagen geleden stond mevrouw Jellema van de hondencrèche voor de deur. Dat was de dag na Elisabeths verjaardag. Ze droeg een soort mantel in de kleur van haar hond Karla, waardoor ze op een oergrote teckel leek. Mijn moeder stuurde me de gang op, want er was duidelijk iets aan de hand. Zo nieuwsgierig als ik ben, bleef ik in de gang stiekem even meeluisteren... Je raadt het nooit!

Mevrouw Jellema heeft iets bedacht om de mopshond van mevrouw Paddeburg (van de hondenbeautysalon) uit te schakelen. Ik stond met ogen als schotels te luisteren en mijn oren klapperden. Moet je je voorstellen: de deftige mevrouw Jellema die zoiets bedenkt! Dat verzin je toch niet? En weet je waarom ze die mopshond wil uitschakelen? Omdat mevrouw Paddeburg met haar hond Helga over vijfenhalve week naar de show wil komen. Mevrouw Jellema (én mijn moeder) is bang dat Helga de show wint.

Als je het mij vraagt, is het beest zo lelijk als maar zijn kan. Zelfs Harrie zou van hem winnen, ook al is Harrie geen echte rashond. Maar goed, ik zou er niet aan moeten denken; al dat getut ...

O wacht, ik heb nog ergens een fotootje van Helga de mopshond:

Ze was toen nog heel jong en had nog niet zo'n platte bek als nu, dus kun je nagaan hoe lelijk ze vandaag de dag is. Ze is wel lief, hoor, maar zooo tuttig! Als ze even haar zin niet krijgt, begint ze meteen te piepen. En ze lijkt op een Engelse theetante, vind je niet?

Met ingehouden adem luisterde ik naar hun gesprek. Mevrouw Jellema had er al goed over nagedacht en dit is haar plan: ze wil Helga ruilen. Er is namelijk een andere mopshond die sprekend op Helga lijkt. Deze hond voldoet alleen niet aan de eisen om een show te winnen. Hij schijnt iets aan zijn gebit te hebben wat niet hoort; wat precies weet ik niet, iets ingewikkelds.

Wist je trouwens dat een mopshond knort? Alsof een hond hoort te knorren! Dat doen varkens en katten, maar honden niet! Nee, ik begrijp echt niet waarom deze maffe honden mogen meedoen aan de show. Ik snap eigenlijk sowieso niet waarom zulke shows worden georganiseerd. Die beesten raken er alleen maar gestrest van. En ze lopen ook nog voor paal.

Hier een foto van Elisabeth (de sjie-wa-wa zeg maar) toen ze meedeed aan de laatste show:

Zie je haar ogen? Ze ziet er toch helemaal niet ontspannen uit? Ik kan me goed herinneren dat ze na de show drie dagen achter elkaar diarree had. Mijn moeder beweerde dat ze was aangestoken door een andere hond. Maar volgens mij was ze supergestrest.

En Jennifer dan:

Oké, ze ziet er stralend uit, net alsof ze schatert van het lachen. Maar dat HAAR! Ze moest eens weten hoe ze voor gek stond! Arm beest!

Maar goed, ik dwaal af. Dat ruilen van die twee mopshonden zal een fluitje van een cent zijn, omdat mevrouw Jellema dus de hondencrèche en uitlaatservice heeft. Maar zoals ik al eerder zei: ik vind dit zo kinderachtig! Ik ga er een stokje voor steken. Gisteravond, toen ik met mijn vriend Job chatte, kwam ik op een geweldig plan!

Job – gesprek
Aan: Job<job_2001@paris.nl>

20:09:11 Job zegt:

Kiekeboe!

20:09:14 Teuntje zegt:

Heeeeee Job!

20:09:19

Job zegt:

Hebben we nog verkering? 

20:09:28

Teuntje zegt:

Voor altijd!
Hoe is het in de stad?

20:09:39

Job zegt:

Saai zonder jou. 

20:09:43

Teuntje zegt:

20:09:48

Job zegt:

Hee, maar luister.
Je had gister verteld over die
mopshondruil ...

20:09:59

Teuntje zegt:

Klopt

20:10:06

Job zegt:

Ik heb nog 's goed zitten nadenken, maar kun jij ze niet op een of andere manier nogmaals omruilen? Zodat het juiste hondje weer bij het juiste baasje is.

20:10:14

Teuntje zegt:

haha! 

20:10:17

Job zegt:

Is toch een idee?

20:10:25

Teuntje zegt:

Wel ingewikkeld, hoor! Want straks, na de show, zorgt mevrouw Jellema dat ze weer omgeruild worden en dan klopt het weer niet, snap je?

20:10:28

Job zegt:

Hm, lastig!

20:10:31

Teuntje zegt:

Wacht even ...

20:10:33

Job zegt:

20:10:36

Teuntje zegt:

Ja, ik heb het! Ik ga gewoon dit keer ook naar de show!!!

20:10:38

Job zegt:

jij?  

20:10:45 Teuntje zegt:

Ik ja, met Harrie. (Haha! Ik wil die gezichten wel eens zien van al die hondenliefhebbers!)

20:10:48 Job zegt:

En dan?

20:10:56 Teuntje zegt:

Dan zorg ik dat ik de mopshond van mevrouw Paddeburg meeneem (hoe dat weet ik nog niet), en dan kan ze eerlijk aan de wedstrijd meedoen.

20:11:03 Job zegt:

Maar je nam Harrie toch al mee?

20:11:07 Teuntje zegt:

Ook!

20:11:14

Job zegt:

Wordt je moeder dan niet kwaad?

20:11:18

Teuntje zegt:

Eigen schuld! 

20:11:22

Job zegt:

Als dat maar goed gaat!

20:11:29

Teuntje zegt:

Ik ga uitloggen, mijn moeder komt binnen.
Dahag! Kuzzies!

20:11:31

Job zegt:

Kuzzies terug.

Toen kwam mijn moeder binnen. Nieuwsgierig tuurde ze naar mijn beeldscherm. Gelukkig had ik mijn chatgesprek al weggeklikt.

'Alles goed, snoes?' vroeg mijn moeder. Ze had een enorme walm parfum om zich heen. Harrie, die steeds al naast mij zat, snifte wantrouwig met zijn neus.

Ik knikte.

'Kijk eens wat een enig lampje ik heb gekocht.'

Ik draaide me om. In haar hand hield ze een lampje dat perfect bij haar hoed paste. Het was roze en had een wit, bontkraagje langs de rand. Ik vond het afschuwelijk. Net zo lelijk als alle andere roze spullen in huis. Maar ik slikte mijn commentaar in en zei: 'Mooi hoor!'

Mijn moeder glimlachte trots en zette het lampje op het tafeltje naast de verwarming.

'Zeg mam?'

Mijn moeder bleef tevreden naar het lampje staren. Ze vouwde haar handen samen en in haar wangen verschenen kuiltjes. Binnen in mij begon het te jeuken van ergernis. Maar ik hield mij in. 'Je hebt over een paar weken toch weer zo'n hondenshow?'

'Ja, liefie, dat klopt.' Mijn moeder tuurde nog steeds naar het lampje. Toen tilde ze het van het tafeltje. Ze zette het in de vensterbank. Vlak naast de porseleinen hond waarvan ik nog steeds hoop dat Harrie hem op een dag met zijn staart het raam uit veegt.

'Mag ik dan mee?'

Mijn moeder draaide zich verschrikt om, met grote ogen. 'Jij?' vroeg ze verbijsterd.

Ik knikte wild. 'Wil ik toch wel eens meemaken.'

Mijn moeder begon te glunderen. 'Wat enig, poepie! Natuurlijk mag je mee!' Ineens keek mijn moeder heel ernstig.

'Maar zonder Harrie!'

'Waarom zonder Harrie? Ben je bang dat hij wint?'

Mijn moeder begon te grinniken en ik grinnikte mee. Dat zou een bak zijn. Harrie, het vuilnisbakkenras dat zou winnen. Nee, ik wist zelf ook wel dat dat niet ging gebeuren.

'Waarom zonder Harrie, mam?' vroeg ik nog eens. Ik aaide mijn stoere hond over zijn kop. Harrie begon meteen enthousiast te kwispelen en te trippelen op zijn poten. Zijn nagels tikten op de vloer.

'Het is geen plek voor Harrie,' zei mijn moeder ernstig.

Ik zei er maar niets van, want dan werd het misschien wel verdacht dat ik wilde komen. Maar natuurlijk was ik wel van plan om Harrie mee te nemen. Nooit ga ik ergens naartoe zonder Harrie. Ik heb hem gevonden op straat, alweer jaren geleden. Zijn baasje had hem in de steek gelaten. Sindsdien is hij mijn maatje en kunnen we niet meer zonder elkaar.

PS Ik had geloof ik nog niet verteld hoe ik Job ken. Ik heb hem ontmoet op de camping, alweer bijna een jaar geleden. We hebben elkaar sindsdien nooit meer gezien. Ik weet eigenlijk niet eens precies meer hoe hij eruitziet. Behalve dan op de foto, maar daar heeft hij kort haar, terwijl hij nu halflang haar heeft. We hebben natuurlijk geen echte verkering. Meer chatverkering ...

4 Mevrouw Jellema

Allereerst zal ik mij netjes veurstellen. Ik ben mevrouw Jellema en ik ben de trotse bezitster van Karla, mijn lieve en honneponnige teckel. Ik bezit een hondencrèche en uitlaatservice. Het is hard werken, maar ik ben dol op honden. Ergens heb ik het gevoel dat ik van mijn hobby mijn werk heb gemaakt. En weet je wat nou zo prettig is: het liefst had ik twintig honden gehad, maar als je dag en nacht twintig honden in huis hebt, wordt het wel een zeer stoffige boel. Nu heb ik eigenlijk stiekem toch twintig honden, maar bijna alle honden gaan aan het einde van de dag weer naar huis. Behalve eentje: mijn allerliefste teckel Karla.

Mijn zorgeloze leventje werd ineens bruut versteurd door het slechte bericht dat het mopshondje Helga van mevrouw Paddeburg zal meedoen aan de hondenshow die over vijf weken plaatsvindt.

Mevrouw Paddeburg is dat verschrikkelijke mens van de beautysalon. De enige reden dat ik met mijn Karla bij haar kom, is dat er verder geen andere hondenbeautysalons in de omgeving zijn. De eerstvolgende is drie uur rijden. Nou, mijn lieve teckeltje Karla heeft nogal een gevoelig maagje en zij wordt snel wagenziek. En je ziet het nooit aankomen. Ineens begint ze te braken en dan houdt ze ook niet meer op. Je zult misschien denken: veel braaksel zal het niet zijn wat er uit zo'n klein beestje komt. Reken maar dat het ernstig is, ze braakt minstens zoveel als een Deense dog. Dus drie uur in de auto is uitgesloten voor mijn lieve Karla.

Maar mevrouw Paddeburg is een afschuwelijk mens. Altijd maar opscheppen over haar leven, over haar mopshond, over haar zaak die zo goed draait. Deze vrouw heeft geen enkele bescheidenheid in zich. Erg onfatsoenlijk als je het mij vraagt. En dan is ze ook nog zo brutaal om haar eigen hondje het mooist te maken. Ja, ze weet beslist dat wij afhankelijk van haar zijn en daar maakt ze misbruik van.

Nu zal ik onmiddellijk toegeven dat haar mopshond uitzonderlijk mooi is; hij voldoet werkelijk aan alle eisen om een show te kunnen winnen. Maar dit zal ik mevrouw Paddeburg nooit gunnen! Uiteraard wilde ik er een stokje voor steken. Ik heb maar één doel. Dat is niet zozeer dat mijn hond wint. Ik vind het ook uitstekend als een van de hondjes van mevrouw Knol wint. Desnoods Harrie, het vuilnisbakkenras van Teuntje. MAAR NIET DE MOPSHOND VAN MEVROUW PADDEBURG! Dat nooit!!!

Dus ik kreeg een veurtreffelijk plan. Ik wilde haar hondje verwisselen met Moos. Moos is tevens een mopshond en zij wordt door haar baasje iedere woensdag en donderdag bij mij op de hondencrèche gebracht, zodat haar bazinnetje kan werken. Werkelijk waar, er is nauwelijks verschil tussen Moos en Helga. Hieronder zie je twee foto's van Moos en Helga. Zie je dat ze sprekend op elkaar lijken?

De show is pas over vijf weken, dus eigenlijk was ik van plan om over twee weken de honden te ruilen. Maar afgelopen woensdag was ik alvast begonnen om de honden een andere identiteit te geven. De hele dag riep ik tegen Moos Helga en tegen Helga Moos. En tja, aan het einde van de dag dacht ik: weet je wat? Ik ruil ze nu alvast. Dan kunnen ze de komende weken een beetje wennen aan hun nieuwe omgeving en baasje. De kans is dan ook kleiner dat Moos op de dag van de show van streek raakt.

Nou nou nou nou nou ... dat was werkelijk niet zo slim van mij! Dit had ik beter niet kunnen doen ...

Binnen twee dagen stond mevrouw Paddeburg woedend voor mijn deur, dat was op zaterdag. Ze had twee dagen lang gedacht dat Helga ziek was omdat ze niet of nauwelijks reageerde wanneer mevrouw Paddeburg haar riep (terwijl dat bij mij uitstekend ging ...). Bovendien wilde Helga ineens haar eten niet opeten (waarschijnlijk was Moos een heel ander soort voedsel gewend vanwege zijn zwakke tanden). Maar nu het ergste: de broer van mevrouw Paddeburg kwam op visite. En je raadt nooit hoe hij heet ... KOOS!

Kijk, bij honden werkt het anders dan bij mensen. Mijn teckeltje heet Karla, maar ze reageert ook als ik Marla, Garla of Barla roep. Het gaat om dat arla, dat is waar ze naar luistert; ze luistert naar de klank.

Broer Koos liep over het tuinpad in de richting van de voordeur en mevrouw Paddeburg was zojuist de rozenstruik aan het snoeien. Ineens hoorde ze geknars van het grind dat op haar tuinpad lag en ze draaide zich om. Toen ze haar broer zag, riep ze enthousiast: ‘Koooooos!’

Nou, die mopshond Moos sprintte op mevrouw Paddeburg af en sprong blij tegen haar aan. Aanvankelijk had mevrouw Paddeburg niets in de gaten, maar in de loop van de dag merkte ze op dat haar Helga steeds op de naam Koos reageerde. Plotseling ging er een lichtje branden ...

Mevrouw Paddeburg is onmiddellijk samen met het mopshondje naar het baasje van Moos gereden, haar broer in verwarring achterlatend. Zodra ze het portier van haar auto openzwaaide, sprong het mopshondje over haar schoot heen de tuin van haar baasje in. En in die tuin zag mevrouw Paddeburg haar Helga. Toen ze Helga's naam riep, wist ze helemaal zeker dat Helga Helga was, want Helga kwam als een dolle op haar afrennen.

Om een lang verhaal kort te maken: vlak erna reed mevrouw Paddeburg (met Helga) op mijn huis af. Met piepende banden stopte ze voor mijn deur. De autobanden lieten een afschuwelijk slordig spoor achter op mijn prachtige oprijlaan. Woest stapte ze uit de auto en ze drukte de bel net zo lang in tot ik opendeed. Toen ging ze tegen me tekeer als een viswijf op de markt. Ik schaamde me werkelijk verschrikkelijk en keek beschaamd in de verte. Ik hoopte uiteraard dat de buren verderop dit niet zouden horen.

'Maar mevrouw Paddeburg,' zei ik. 'Het spijt me echt verschrikkelijk. Ik heb niet goed opgelet. Wat naar dat dit is gebeurd. Ik hoop ...'

Ze onderbrak mijn rustige toon en raasde en tierde maar door. 'Het is wel erg toevallig, Jellema! Zowel Moos als Helga komt al jaren bij u in de crèche. Ik vertel u een paar dagen voor dit incident dat mijn Helga meedoet aan de show. Een paar dagen later heb ik ineens Moos in huis in plaats van mijn Helga. Iedereen weet dat Moos iets aan zijn tanden heeft en nooit zal winnen.'

Ik bleef verbaasd doen en dat deed ik heel goed. Het bleek ineens dat ik zeer goed kon acteren. Ik voelde me zelfs echt beledigd dat mevrouw Paddeburg me hiervan beschuldigde.

Kun je nagaan hoe ik me in mijn rol van onschuldige inleefde. Maar ik schrok toen ze over mevrouw Knol begon. Ik voelde me ineens ontzettend betrapt.

'Het zou me niets verbazen als u dit samen met mevrouw Knol hebt bekokstoofd. Jullie zijn altijd zo jaloers en vals. Jullie gunnen andere mensen niet dat ze succes hebben!'

Mijn hoofd werd zo heet als een vuurbol en ik voelde mijn huid prikken van de warmte. O, wat vreselijk! Ik moest nu zo rood zijn als mevrouw Paddeburg zelf. Maar die was rood van woede.

Mevrouw Paddeburg keek me doordringend aan. Toen snifte ze minachtend met haar neus en zei: 'Tot maandag!' Ze liep met ferme passen weg en stapte weer in de auto. Ze probeerde dat chic te doen, maar ze was niet chic. Net te veel make-up, net te overdreven kleding en een net te foute sportauto.

Nadat haar hondje de auto in was gesprongen, reed mevrouw Paddeburg met een brullende motor weg. Het grind van mijn oprijlaan sprong op vanonder de autobanden.

Ik stond vastgenageld aan de grond ... Tot maandag ...

Ja, maandag zou ik samen met mevrouw Knol naar de beautysalon komen met onze hondjes. We gaan tegenwoordig altijd samen, zodat haar opschepperige gedrag beter te verhapstukken is. Bovendien hebben we dan ook weer heerlijk roddelvoer, want dingen die je ergeren zijn ook wel weer leuk, omdat je er dan over kunt klagen met iemand.

Goed, maandag ... daar konden we niet meer onderuit. We wilden ons natuurlijk niet laten kennen. Maar de ene ramp ging over in de andere ramp. Want wat er maandag gebeurde, was werkelijk rampzalig!

5 Teuntje Knol

Sorry! Ik moet even heel hard lachen. Ik kan er niets aan doen ... Weet je, ik hoef die honden niet meer te ruilen, want mevrouw Paddeburg kwam er heel snel achter dat ze het verkeerde hondje in huis had, namelijk Moos. (Wel erg irritant dat ik toch naar de show moet ☹ Ook had ze in de gaten dat niet alleen mevrouw Jellema hierachter zat, maar ook mijn moeder. Razend was ze! Ze heeft een kwade mail geschreven en ik heb de mail stiekem gelezen! (Jammer dat ik niet weet hoe mijn moeders website werkt, anders kon ik de mail kopiëren en dan weer plakken op haar website ☺.)

Van: Mevrouw Paddeburg
<a.paddeburg@beautysalonpaddeburg.nl>
Verzonden: zondag 7 mei 2006: 11:07
Aan: knol@warenhuiswoef.nl, jellema@jellema.nl
Onderwerp: Schandelijk + rekening

Mevrouw Knol en mevrouw Paddeburg,

U hebt zich beiden werkelijk schandalig gedragen!
Iedereen is vrij om ervoor te kiezen wat hij doet; we leven in een vrij land.
Ik besefte enkele weken geleden dat het absurd is dat ik mijn mopshond Helga nooit heb opgegeven voor de hondenshow. Ik had haar al veel eerder moeten aanmelden. Ze is uiterst

geschikt voor een dergelijke show, daar ze een fantastische hond is. Haar vacht glanst als van geen ander, ze voldoet aan alle eisen en ze is ook nog eens welopgevoed. Het betreurt mij daarom zeer dat mij het geluk niet wordt gegund straks de trotse bezitter te zijn van een hond die letterlijk de show steelt. Nee, in plaats daarvan hebben jullie samen een plannetje gesmeed zodat mijn hond niet de winnaar kan worden, enkel en alleen omdat jullie bang zijn zelf te verliezen. Uiteraard een terechte angst, maar het is zeer ongehoord om mijn hond te ruilen met een andere hond. Ik heb er werkelijk geen woorden voor.
Mijn Helga is vreselijk van streek. Dit is de vrolijkste foto die ik na jullie onfatsoenlijke actie van haar heb geschoten:

Dat ziet er niet best uit, hè? Mijn arme Helga is helemaal van slag. Morgen, na jullie bezoek, zal ik dan ook met haar naar de dierenpsycholoog gaan. Ik hoop dat hij haar uit haar dip kan halen. Jullie begrijpen zeker wel dat ik de rekening hiervan naar jullie zal doorsturen ...

Tot morgen!

Mevrouw Paddeburg

De dierenpsycholoog! Moet je je voorstellen! Gaat zo'n psycholoog dan bemoedigend blaffen tegen zo'n somber hondje? Of krijgt hij brokjes waar hij vrolijk van wordt? Oppepbrokjes ... Ik weet dat er veel gekke dingen voor honden georganiseerd worden, maar een dierenpsycholoog, zou die nou echt bestaan? Ja dus!

Ik was namelijk met mijn vriendje Job aan het chatten en toen vroeg ik hem of hij ooit van een dierenpsycholoog gehoord had. Heel toevallig had hij er net over gelezen in de kinderkrant. Na flink zoeken vond hij het weer. Hij heeft het gescand en naar mij opgestuurd:

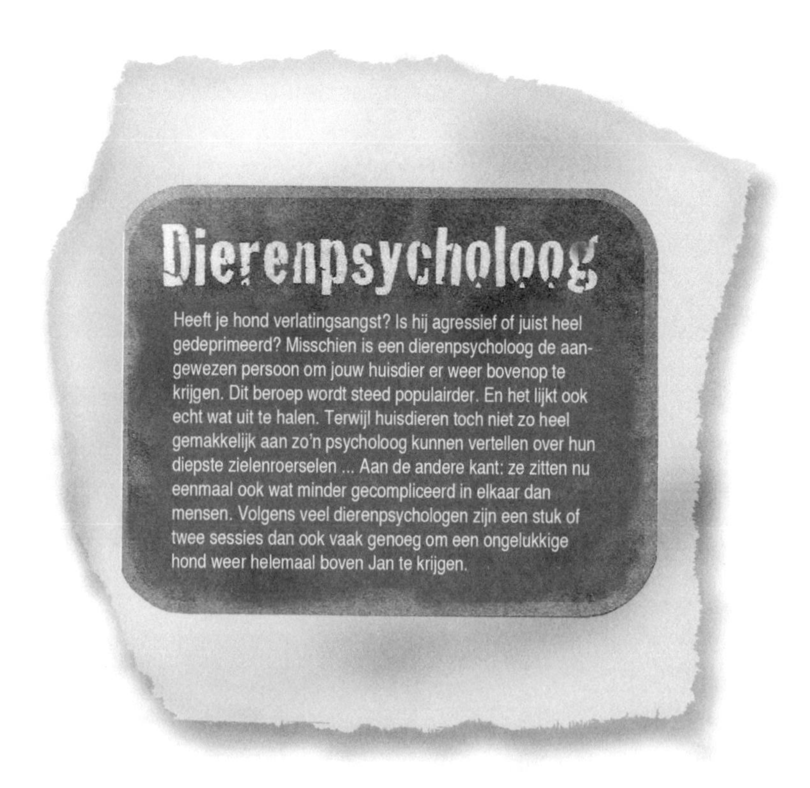

Dierenpsycholoog

Heeft je hond verlatingsangst? Is hij agressief of juist heel gedeprimeerd? Misschien is een dierenpsycholoog de aangewezen persoon om jouw huisdier er weer bovenop te krijgen. Dit beroep wordt steed populairder. En het lijkt ook echt wat uit te halen. Terwijl huisdieren toch niet zo heel gemakkelijk aan zo'n psycholoog kunnen vertellen over hun diepste zielenroerselen ... Aan de andere kant: ze zitten nu eenmaal ook wat minder gecompliceerd in elkaar dan mensen. Volgens veel dierenpsychologen zijn een stuk of twee sessies dan ook vaak genoeg om een ongelukkige hond weer helemaal boven Jan te krijgen.

Uit: Kidsweek

Het is toch niet te geloven? Ik moet hier echt vreselijk om lachen!

Maar het wordt nog gekker!

Maandag ging mijn moeder met lood in haar schoenen naar mevrouw Paddeburg, naar de beautysalon, met Elisabeth en Jennifer. Toen ze vertrok maakte ik nog een grapje: 'Neem Harrie ook mee! Hij wil wel een permanentje!' (Achteraf was ik blij dat mijn moeder er niet op in was gegaan.)

Mijn moeder werd opgehaald door mevrouw Jellema en ze zagen er beiden wat pips uit. Mijn moeder had haar suikerspinjurk aan (waar ik me altijd erg voor schaam: knalroze en veel te strak, waardoor je een klein buikje ziet dat ze steeds probeert in te houden. En dan doet ze haar haar ook altijd nog 's in een grote knot met een soort roze pluim erin, echt lelijk hoor!). Mevrouw Jellema zag er heel koninklijk uit, totaal anders dan mijn moeder. En haar mondhoeken stonden naar beneden, alsof ze iets deftigs ging zeggen.

Zwijgend stapten ze in de auto en ze reden zonder afscheidsgroet weg. De drie hondjes (ook die van mevrouw Jellema natuurlijk) zaten keurig naast elkaar op de achterbank; ze hijgden opgewonden. Elisabeth zou je normaal niet kunnen zien, maar mijn moeder heeft speciaal voor haar een ophoging gemaakt, zodat ze ook uit het raam kan turen als ze in de auto zit.

Ik ben lekker met Harrie door de duinen gaan wandelen en ik deed een wedstrijdje met mezelf. Ik probeerde elke keer de stok weer verder te gooien. Echt zo stoer hoe zo'n stok door de lucht vliegt. En dan Harrie die er met grote sprongen achteraan rent. In mijn zak had ik een handvol kauwgom en elke keer als de smaak eraf was, gooide ik hem in een prullenbak en nam ik een nieuwe.

Pas uren later kwam ik terug en meteen moest ik keihard lachen! Zelfs Harrie leek het grappig te vinden, want zijn grijns was breder dan ooit. Mijn moeder waardeerde dit helemaal niet en gilde heel hysterisch dat het niet leuk was. Maar dat was het wél! Jennifer de poedel had helemaal geen krullen meer. Haar haar stond steil en stijf alle kanten op. Ze leek wel een verpieterd vuilnisbakkenras, eentje die al zijn hele leven op straat leeft ... Elisabeth was nog erger; ik had het niet meer! Ze had een pimpelpaarse staart met aan het uiteinde een rood pluimpje! Ze leek wel een stripverhaalfiguur!

'Wat dacht je, mam? Is weer eens iets anders?' giechelde ik. (Wist ik veel hoe het echt was gegaan.)

Mijn moeder stond strak van de spanning. Ze stampte woedend met haar voeten en gilde: 'Mevrouw Paddeburg is te ver gegaan! We wilden gewoon het haar lekker laten wassen en borstelen en bijpunten. Maar omdat haar mopshond per ongeluk was omgeruild van de week, nam ze nu wraak. We hadden onze honden nooit alleen moeten achterlaten bij haar. Maar door de ruzie wilde ze ons er niet bij hebben. En nu heeft ze dit gedaan!'

Ik moest mijn best doen om niet iets te zeggen. Per ongeluk de hond omgeruild ... Ik wist natuurlijk precies hoe het zat! Dat dat expres was gedaan. Maar ik hield mijn lippen stevig op elkaar geklemd, tot ik vroeg: 'En toen heeft ze Jennifer ontkruld en Elisabeths staart geverfd?'

Mijn moeder knikte boos.

'En wat heeft ze dan met de teckel van mevrouw Jellema gedaan?'

'Karla heeft nu piepkleine krulletjes!' brieste mijn moeder.

Ik proestte het uit van het lachen! Een teckel met krulletjes, wat een bak! Een soort poedel dus, maar dan een peckel.

Mijn moeder keek me woest aan. Zo woest dat ik mijn lach verder inslikte en niet meer durfde te laten blijken hoe grappig ik het vond.

Toen liep mijn moeder naar de computer, zette hem aan en klikte op 'onderhoud website'. Kwaad ramde ze op het toetsenbord:

Attach Files

Lief dagboek,

Hier Jennifer. Normaal gesproken zie je een foto van mij, maar vandaag even niet, want ik zie er niet uit. Ik ben vandaag behandeld door beautysalon Paddeburg en de eigenares van die zaak heeft mijn haar compleet verpest, waardoor ik nu erg voor gek loop. Het erge is dat ik over vierenhalve week mee wil doen aan de hondenshow. Maar zoals ik er nu uitzie, win ik hem natuurlijk nooit! Ik hoop echt dat ik snel mijn krullen terugheb, want een poedel met steil haar is hetzelfde als een hond met een kaal ...

Ineens draaide mijn moeder zich om. Haar ogen stonden wijd opengesperd en langzaam maar doordacht zei ze zonder me aan te kijken: 'Ik weet het! Ik heb iets!'

Ze sprong op, rende naar buiten en riep: 'Teuntje, let jij even op Jennifer en Elisabeth?' Vlak erna reed ze met gierende banden weg ...

6 Mevrouw Paddeburg

Mevrouw Paddeburg is de naam en ik ben ontzettend boos! Mijn arme Helga! Mijn snoediedoedie! Mijn mooie en lieve mopshond. Ze heeft een dubbel trauma opgelopen, en dat in een paar dagen tijd.

Ik zal eerst vertellen over haar ontvoering.

Enkele dagen geleden is ze omgeruild voor een andere hond. Mijn arme beestje woonde ineens in een wildvreemd gezin waar ze niemand kende, waar de geurtjes vreemd voor haar waren en waar niemand haar taal verstond. Wat moet ze in doodangst geleefd hebben. Mijn arme snoezepoes.

En wie had dit bekokstoofd? Niemand anders dan mevrouw Jellema en mevrouw Knol. Draken van vrouwen en altijd maar jaloers op alles wat ze zelf niet hebben. Om misselijk van te worden!

Enfin, mijn Helgaatje, mijn koediefroedie, was zo van streek dat er niets anders op zat dan met haar een bezoekje te brengen aan de dierenpsycholoog. Nu zul je wellicht denken: is dit niet wat overdreven? Nou, echt niet hoor! Zie hieronder de foto die ik met de zelfontspanner van ons maakte vlak nadat ze gekidnapt was, zie hoe gestrest ze eruitzag, mijn koedie:

In eerste instantie hoopte ik dat haar nerveuze reactie op deze afschuwelijke ontvoering maar een dag zou duren. Maar de volgende dag ging het niet veel beter met haar. Ze zat almaar in een struik en wilde niet eens met mij wandelen, terwijl ze dol is op de duinen. Normaal gesproken springt zij al wild enthousiast alle kanten op als ik alleen maar naar de riem wijs; dan weet ze precies wat er komen gaat ...

Nee, het was geen pretje. Ze deed net of ik niet bestond en ze zat maar in die struik en staarde de hele dag wezenloos voor zich uit.

Dus na enige tijd dacht ik: huppetee, nu is het welletjes geweest! Helga, mijn doedeltje, heeft extra begeleiding nodig, professionele begeleiding ...

Ik heb onmiddellijk een afspraak gemaakt en aangezien Helga een spoedgeval was (volgens de psycholoog, meneer Kopzorg genaamd, kon je er niet snel genoeg bij zijn), konden we vrijwel direct bij hem terecht.

Ik kwam aan bij zijn praktijk, die zich op de benedenverdieping van een prachtig herenhuis bevond. De receptioniste knikte vriendelijk en begeleidde ons naar de wachtkamer. Aan de muur hingen portretten van allemaal verschillende honden. Van iedere hond waren er twee foto's gemaakt: een van vóór de behandeling en een van erna. Je zag duidelijk verschil. Op de eerste foto stonden alle honden er zeer somber op. De tweede foto liet telkens weer een duidelijk opgeknapte hond zien met stralende ogen en een vrolijke grijns. Ik kreeg weer hoop! Het zou goed komen met mijn Helgaatje, mijn flubberdubbertje.

De psycholoog zelf had een zeer depressieve uitstraling, dat verbaasde me. Hij had een grauwe huid, onder zijn ogen hingen vermoeide zakjes en zijn rug was iets gekromd. Zeer apart eigenlijk. Toch had ik er alle vertrouwen in dat hij Helga weer het licht zou laten zien.

Een uur lang bladerde ik in de wachtkamer door roddelblaadjes. Ik was weer helemaal op de hoogte van het wel en wee in het Koninklijk Huis. Ineens hoorde ik vanuit de behandelkamer af en toe gekke piepjes. De eerste keer schrok ik, ik was bang dat Helga zich niet op haar gemak voelde. Maar gek genoeg ontdekte ik al snel dat het blije piepjes waren; de piepjes klonken steeds vrolijker. En toen ze een uur later de wachtkamer in huppelde, wist ik dat het weer redelijk goed met haar ging. Ze likte mijn hand, snuffelde aan de grond en kwispelde met haar staartje.

De psycholoog zag er ook ineens een stuk vrolijker uit. Hij schraapte zijn keel en zei: 'Helga kan weer blij door het leven. Ik raad u wel aan haar de komende tijd extra aandacht te geven.'

Was het mogelijk om haar meer aandacht te geven dan ik altijd al deed? Dit vroeg ik me een moment af. Maar vlak erna dacht ik: alles is mogelijk! De komende tijd staat alles in het teken van Helga! Desnoods werk ik een tijdje wat minder. Wat is er nou belangrijker dan het geluk van mijn allerliefste en allermooiste toepiesnoepiefloepie?

Ik was weer helemaal in mijn nopjes en kon de hele wereld aan.

Maar toen volgde er een nieuwe rampzalige gebeurtenis! Ik had het er namelijk niet op laten zitten ... Ik had de hondjes van mevrouw Jellema en mevrouw Knol een speciale haarverzorgingsbehandeling gegeven. Ik had er stiekem wel lol om gehad. En zo groot was de schade nu ook weer niet, hoor. Neem nou Elisabeth: ze heeft een vreemde staart momenteel, want ik heb hem pimpelpaars geverfd en van het uiteinde heb ik een rood pluimpje gemaakt. Niets ernstigs dus. Daar komt nog bij dat mevrouw Knol het met haar hondenkleding van warenhuis Woef prima weet te verbergen. Zie Elisabeth hieronder:

Zo zie je helemaal niet dat ze zo'n gekke staart heeft, want haar staart is helemaal in het pakje gepropt (het arme beest, wat moet dat een benauwd gevoel geven).

Goed, nu het vreselijke wat mijn Helga weer overkwam. Mevrouw Jellema en mevrouw Knol waren dus woedend over het kapsel van hun hondjes, maar het was hun verdiende loon, want zij waren begonnen. Zelf dacht ik: zij hebben Helga iets aangedaan, ik heb hun hondjes iets 'aangedaan', nu is het over en uit.

Nou, ze weten dus niet van ophouden! Gisteren moest mijn Helga naar de hondencrèche van mevrouw Jellema. Ik voelde me zo schuldig omdat ik haar eigenlijk extra aandacht wilde geven. Maar ik kon hier echt niet onderuit, want ik had tien honden in mijn beautysalon; ik had ze allemaal naar woensdag verschoven, zodat ik vandaag Helga bij me kon houden om haar dan wél extra aandacht te kunnen geven. In de middag wilde ik vrij zijn om carnavalskleding te naaien. Volgende week is het namelijk hondencarnaval. Dan gaan alle honden verkleed in een optocht door het dorp wandelen (met hun baasjes ernaast natuurlijk, anders wordt het een chaos). De hond die het origineelst verkleed is, wint een prijs. Mijn Helga, mijn floediedoedie, doet ook mee met de optocht.

Nu weet ik dat warenhuis Woef vandaag de dag erg leuke

carnavalskleding verkoopt, maar ik vertik het om daar Helga's tenue vandaan te halen. Nee, dat ik gun mevrouw Knol niet meer! Ik ga lekker zelf een pakje in elkaar knutselen voor Helga. Dus ik was druk in de weer met een prachtig kostuum voor haar. (Een elfjespakje, echt zo schattig. Met mooie, glanzende vleugels en veel glitters.) Ik naaide me een ongeluk en aan het einde van de dag had ik eelt op mijn vingers van al het priegelwerk.

Toen ik om zes uur Helga kwam ophalen bij de hondencrèche van mevrouw Jellema, kreeg ik de schrik van mijn leven. Het is werkelijk afschuwelijk, afgrijselijk! Ik heb er niet de juiste woorden voor. En o, ik moest denken aan de hondenshow die over vier weken plaats gaat vinden ... Komt het nog goed voor die tijd?

ZE WAS HELEMAAL KAAL!

Mevrouw Jellema met haar koninklijke rotkop zei duizendmaal sorry. Ze beweerde dat het een ongeluk was. Dat ze ontharingscrème uit haar handen had laten vallen (wat doet mevrouw Jellema met ontharingscrème op een normale werkdag?). Dat de tube helemaal leeg viel op de grond. Volgens haar is Helga er toen in gaan rollen, want de ontharingscrème ruikt volgens mevrouw Jellema naar verse vis ('Geloof je het zelf?' schreeuwde ik). En toen vielen na enige tijd al Helga's haren uit en was ze helemaal kaal (behalve onder haar kin, maar dat ziet niemand).

Eenmaal thuis belde ik mijn advocaat. Maar hij zei dat hij geen verstand heeft van honden, de kluns!

Daarna ben ik naar de dierenarts gegaan en volgens hem groeit het zo weer aan, temeer omdat Helga zeer korte haartjes heeft!

O, als het maar op de juiste manier teruggroeit! Ik heb wel eens een vriendje gehad dat zich op een dag kaal schoor (ik maakte het onmiddellijk uit). Toen ik hem maanden later tegenkwam, had hij ineens krullen!

Maar wat nog het ergste is: mijn lieve lieve snoedeldoederige Helga loopt vreselijk voor paal! En ik ook natuurlijk! Het is echt afschuwelijk!

Het is zo gemeen! Mevrouw Jellema en mevrouw Knol weten heel goed dat mijn Helga de meeste kans maakt om de hondenshow te winnen. Alleen daarom doen ze er alles aan om mijn Helga lelijk te maken.

Hiermee vergroten ze echt niet de kans om zelf te winnen. Onderstaand artikeltje las ik namelijk in een boek over hondenshows:

Kledingkeus

De hond is ingeschreven en u bent helemaal klaar voor de keuring. Wat trekt u aan? De dresscode varieert van casual tot netjes: de een showt in spijkerbroek, de ander gaat strak in het (mantel)pak de ring in. Wat u ook aantrekt, zorg dat u er in ieder geval net als uw hond netjes en verzorgd uitziet. U doet immers mee aan een show, niet aan een boswandeling. Kies niet voor iets extravagants: het is de bedoeling dat de hond opvalt, niet u. Let erop dat de kleur van uw kleding goed combineert met de kleur van uw hond. Zorg voor contrast. Een lichte hond steekt goed af bij donkere kleding. Maar als u een zwarte hond hebt, kunt u beter geen donkere broek aantrekken!

!

Uit: 'Hondenshows' van Judith Lissenberg

Het is me geheel duidelijk dat zij nooit zullen winnen! Mevrouw Jellema doet veel te duur met haar mantelpakken en oergrote, glimmende sieraden (ze denkt echt dat ze de koningin is!). En mevrouw Knol is net een wandelende suikerspin! Beide dames vallen hoe dan ook meer op dan hun hondjes.

Ik ga eens heel goed zitten broeden op een plannetje om hun honden NOG minder kans te geven om de hondenshow te winnen!

7 Teuntje Knol

'Ga nou toch mee!' zeurde mijn moeder de avond voor de optocht.

Ik wilde er eigenlijk niets van weten. Stel je nou toch voor dat bekenden mij bij die optocht zouden zien! Echt niet stoer! Maar uiteindelijk wist mijn moeder me toch over te halen.

Ze bekeek kritisch haar lange, rode plaknagels (echt om kippenvel van te krijgen, die plaknagels) en toen vroeg ze: 'Hoe gaat Harrie?'

'Goed,' zei ik verward. Mijn moeder vraagt nooit hoe het met Harrie gaat.

Mijn moeder grinnikte. 'Nee, ik bedoel hoe hij morgen gaat.'

'Met de fiets, nou goed,' zei ik, terwijl ik een kauwgompje de lucht in gooide en vlak erna opving met mijn mond.

'Hè!' zuchtte mijn moeder geërgerd. 'Ik bedoel ... kijk, Elisabeth gaat als ruimtewezen en Jennifer als hippie ...'

'O dat!' Ik moest hard lachen. Jennifer als hippie! Mijn moeder had dit alleen maar bedacht omdat mevrouw Paddeburg van de beautysalon Jennifer had ontkruld, waardoor haar haar supersteil en stijf alle kanten op piekte. Erg grappig eigenlijk! (Jennifer lijkt nu net als Harrie op een vuilnisbakkenras!)

Mijn moeder glimlachte wrang en mompelde toen: 'Dus Harrie moet ook verkleed ...' Ze zweeg een tel en keek Harrie medelijdend aan. Nogmaals vroeg ze: 'Hoe gaat Harrie?'

'Als hond,' antwoordde ik.

'Dat kan niet.' Mijn moeder vouwde haar handen samen en keek me met een schuin hoofd aan. 'Harrie móét verkleed als hij mee wil doen aan de optocht.'

'Ja, maar hij doet niet mee aan de optocht!' riep ik verontwaardigd. 'We komen alleen maar kijken.' Ik omhelsde Harrie en gaf hem veel zoentjes op zijn kop. 'Arme Harrie, jij hoeft nooit verkleed hoor, jij niet. Nee!'

'Wat jij wilt,' zei mijn moeder vermoeid. Toen liep ze met snelle pasjes de kamer uit en zei: 'Ik heb zo'n snoezig pakje voor Elisabeth. Elisabeth, kom! Gaan we je pakje even showen aan Teuntje.'

Elisabeth trippelde achter haar aan en het was een hele tijd stil in huis. Alleen buiten hoorde je het gefluit van de wind. Ik aaide Harrie over zijn bol en zei: 'Jij hoeft niet voor gek te lopen, hoor! Daar ben je veel te stoer voor!'

Even later werd de deur weer opengezwaaid en mijn moeder riep: 'Tadáááá!'

Elisabeth kwam binnentrippelen. Ze zag er zo lullig uit dat ik weer in de lach schoot. Ze keek een beetje benauwd uit haar ogen en volgens mij probeerde ze te blaffen maar lukte het niet. Moet je opletten:

Arme Elisabeth! Ik rolde over de grond en ik kreeg kramp in mijn maag van het lachen; ik kon niet meer. Harrie begon hard te blaffen en daardoor raakte Elisabeth gestrest (of nog gestrester). Elisabeth kan echt niets hebben, het is een tuttebel van heb ik jou daar. Ze begon heel hysterisch rondjes te rennen. Dat was geen gezicht in dat rare pakje van haar. Harrie rende achter haar aan en probeerde in haar kontje te bijten. Maar mijn moeder trok Harrie aan zijn halsband en riep: 'Foei! Jij rotbeest!'. Ze rukte hard aan zijn halsband en sleurde hem hardhandig de gang op (zou ze bij haar eigen hondjes nóóit doen!). Elisabeth was zo opgefokt dat ze ineens met een schokkerige beweging begon over te geven, voor de voeten van mijn moeder.

Mijn moeder sprong geschrokken achteruit en keek ontzet naar het hoopje kots dat daar op de vloer lag. En toen ... toen at Elisabeth alles op wat ze had overgegeven. Echt heel smerig! Ik kan een hoop hebben, maar hier werd ik supermisselijk van.

Dit alles gebeurde eergisteren.

En toen de optocht. Gisteren. Ik had er nog nooit eerder eentje meegemaakt. Maar ik was zo blij dat Harrie niet meeliep met de optocht. Ik had hem nooit zo voor paal willen laten lopen.

Door het krantenbericht dat ik mijn moeder had laten lezen, verkocht warenhuis Woef alle soorten carnavalskleding die je maar kunt bedenken. Bijna alle honden droegen een carnavalspak uit mijn moeders warenhuis. De een was nog gekker dan de ander. De ergste vond ik de hond die als hotdog verkleed was. Het hondje was tussen twee sneetjes brood geklemd en op zijn rug zat een sliert neptomatenketchup. Zo laat je je hond toch niet over straat wandelen?

Hier de foto's die ik gisteren heb genomen:

De arme beesten! Ze moesten eens weten!

Aan het einde van de dag, toen iedereen op het dorpsplein bij elkaar was, begon mijn moeder ineens over mevrouw Paddeburg te klagen. Ik kon haar nauwelijks verstaan, want alle honden maakten enorm veel herrie; ze blaften, piepten, gromden ... Maar door al het kabaal heen kon ik nog wel verstaan dat mijn moeder het erg kinderachtig vond dat mevrouw Paddeburg geen carnavalskostuum bij haar warenhuis Woef had gekocht. In plaats daarvan had mevrouw Paddeburg zelf een elfjespakje voor haar mopshond Helga in elkaar geknutseld. Mijn moeder begreep niet dat mevrouw Paddeburg ervoor had gekozen om haar hondje een minder mooi pakje aan te trekken. Temeer omdat mijn moeder nog steeds wel zo stoer was om met Jennifer en Elisabeth bij mevrouw Paddeburg in de beautysalon te komen.

Zelf vond ik dat mevrouw Paddeburg erg ver was gegaan in Helga's verkleedpartij. Helga was namelijk helemaal kaalgeschoren! Je gaat je eigen hondje toch niet kaalscheren voor zo'n onnozele optocht? Ik snap heus wel dat elfjes eigenlijk niet behaard zijn, maar dit gaat toch echt te ver!

Wat mij ook opviel was dat mevrouw Paddeburg de hele tijd foto's maakte van Elisabeth, Jennifer en de hond Karla van mevrouw Jellema. En dit deed ze elke keer als mijn moeder of mevrouw Jellema even niet oplette. Heel vreemd!

Nou, en toen de uitreiking voor de best verklede hond ...

Een meneer van de hondencarnavalsvereniging (ik weet zijn naam niet meer) ging op het podium staan en vroeg om stilte.

Hij had sombere, donkere ogen die niets uitstraalden, maar zijn mond lachte, echt heel apart. Het leek net of hij er eigenlijk geen zin in had.

Hij tikte met zijn hand op de microfoon om die nogmaals te testen (terwijl hij ervóór nog om stilte had gevraagd).

Eerst noemde hij de hond die de derde prijs had gewonnen voor de mooist verklede hond. Die ging naar een hond die als poes verkleed was. De hond had zelfs een apparaatje om zijn middel waaruit 'miauw!' klonk. Mijn moeder was helemaal trots, want het poezenpak kwam uit haar warenhuis. Er ontstond een enorm gedoe in het publiek van honden die strak aan de riem werden gehouden omdat ze grommend naar de zogenaamde poes loerden, klaar voor de aanval. Ze dachten waarschijnlijk dat het een echte poes was.

De tweede prijs ging naar een hond die als Sinterklaas verkleed was. Die vond ik zelf ook wel grappig! Hij had een echte mijter op zijn kop die alle kanten op zwiepte. Mijn moeder was meteen op haar teentjes getrapt, omdat dit pak niet uit Woef kwam.

Zowel de 'poes' als 'Sinterklaas' kreeg een groot bot cadeau.

Toen hield de man van de hondencarnavalsvereniging een veel te lange speech over hoe moeilijk het was om de hond te kiezen die de eerste prijs zou winnen. Het was zo moeilijk omdat er zo veel prachtige honden rondliepen die zo leuk en origineel verkleed waren. Zijn verhaal duurde eindeloos en ik zag mijn moeder zenuwachtig aan haar jasje friemelen. Ze ging er volgens mij van uit dat een van haar hondjes zou winnen.

Toen klonk er zacht tromgeroffel en de man riep luid: 'En de eerste prijs is voor het mopshondje Helga! Geen hond is zo fantastisch en zo grappig verkleed. Ze is net een echt elfje!'

Dit allemaal riep de man en nog veel meer lovende teksten over Helga, terwijl hij eerst had gezegd hoe moeilijk de keus was geweest omdat alle honden zo bijzonder verkleed waren.

Mijn moeder zag je bijna letterlijk door de grond zakken.

Mevrouw Paddeburg, die achter mijn moeder stond, zei 'Pardon!' en duwde mijn moeder subtiel maar hooghartig opzij om erlangs te kunnen. Even later stapte ze met Helga het podium op. Het publiek begon hard te applaudisseren en alle honden blaften hysterisch, net of ze het er niet mee eens waren.

En toen kreeg Helga een enorme biefstuk. Dat was niet slim. Eerst zag je alle hondenneuzen omhooggaan en sniffen. En toen stormden alle honden het podium op. Het werd een oorverdovend gevecht. Haren stoven in het rond en er werd gepiept, gejankt, gegromd ... Helaas was de batterij van mijn camera leeg, anders had ik er mooie plaatjes van kunnen schieten.

8 Mevrouw Knol

'Nee!' gilde ik ontzet.

'Wat?' vroeg Teuntje. Haar stem klonk ergens ver weg op de achtergrond.

'Nee!' riep ik nog eens. 'Het is bij de konijnen af!'

'Konijnen?'

Ik draaide me om en keek Teuntje aan. Ze zag er weer eens bijzonder slordig uit. Alsof ze met haar trui aan een struik was blijven haken, zodat hij helemaal gerafeld was.

'Konijnen?' vroeg Teuntje nogmaals.

'Dat is een uitdrukking, Teun.' Ik sloeg mijn hand voor mijn mond. 'Wat afgrijselijk!' Ik hield de brief strak voor me en het leek alsof de letters die op het papier stonden in een sneltreinvaart op me afkwamen. Het drong nu pas echt goed tot me door.

'Wat dan, mam?' Teun is erg nieuwsgierig, maar dat merk je vooral aan de vragen die ze stelt, of die ze herhaaldelijk stelt. Aan haar uiterlijk is het niet te zien. Ook nu weer zag ik aan haar gezicht dat ze ervan uitging dat het wel mee zou vallen waar ik op dat moment zo van schrok. Heel brutaal en onfatsoenlijk eigenlijk van haar. Ze zat maar onderuitgezakt op de bank en ze kauwde ordinair op haar kauwgom. Met van die akelige smak-smak-geluiden. En dat terwijl ze slotjes heeft, onder en boven. Toch zei ik er niets van, want het enige wat door me heen spookte was: wat moet ik nu doen met deze akelige brief? Hij was geschreven door de nieuwe voorzitter van de hondenvereniging. Hij kende uiteraard niet het verleden van mijn snoezige Jennifer en Elisabeth.

Eigenlijk had ik geen zin om Teuntje hierbij te betrekken. Ze begreep toch niets van die hondenshows waar mijn Jennifer en Elisabeth aan meedoen.

Ik richtte mijn blik nogmaals op de getypte brief en concentreerde me op de afschuwelijke inhoud:

Geachte mevrouw Knol,

Nadat wij van u de nieuwe foto's van uw honden Elisabeth en Jennifer hadden ontvangen, hebben wij een zeer moeilijke beslissing moeten nemen. Allereerst wil ik u uitleggen dat u naar ons oordeel iets te ver gaat in het hip maken van uw hond. Wij zijn echter van mening dat een poedel met steil haar geen poedel is en dat een chihuahua met een gekleurde staart geen chihuahua is. Althans, niet volgens onze maatstaven. En daar de maatstaven nogal hoog liggen tijdens onze shows, achten wij uw honden, hoe alleraardigst ze ook zullen zijn, niet geschikt om mee te doen aan de wedstrijd. U moet begrijpen dat er die dag veel persfoto's worden gemaakt, en wij streven er daarom naar alleen honden toe te laten die zeer zuiver van ras zijn en aan alle eisen voldoen.
Wij hopen u hiermee voldoende te hebben ingelicht.

Hoogachtend,
Dhr. A. Saltem
Voorzitter hondenvereniging

Ik snapte hier bepaald niets van en schrok me werkelijk een hoedje! Ik hád helemaal geen nieuwe foto's naar de hondenvereniging gestuurd. De oude foto's waren kostelijk, die heb ik nog speciaal door een professionele fotograaf laten nemen. Dus waarom zou ik nieuwe sturen?

Ineens ging de telefoon. Even twijfelde ik of ik wel of niet op zou nemen. Ik was zo van streek van dit akelige bericht, ik moest het echt nog een beetje verwerken.

Toen nam ik toch op. 'Met mevrouw Knol?'

Mevrouw Jellema ademde snel, alsof ze zojuist hard gehold had. 'Mevrouw Knol! Het is werkelijk bar en boos. Zojuist heb ik een brief ontvangen van de nieuwe veurzitter van de hondenvereniging ...'

Haar woorden struikelden over elkaar heen en door alle eu's die oo's moesten zijn, kon ik er geen touw meer aan vastknopen. Maar ik begreep natuurlijk onmiddellijk wat er aan de hand was. 'Het zal toch niet!' riep ik ontsteld.

'Pardon?' klonk het ineens heel duidelijk aan de andere kant van de lijn.

Ik haalde diep adem en vroeg: 'Gaat uw brief ook over de nieuwe foto's die meneer Saltem van uw hond heeft ontvangen? En dat hij naar aanleiding daarvan besloten heeft uw hond niet toe te laten op de hondenshow?'

Het was even stil aan de andere kant van de lijn. Toen klonk er een klein kreuntje en zacht fluisterde mevrouw Jellema: 'Paddeburg.'

Dit hoorde Teuntje niet, maar Teuntje sprong ineens op van de bank en ze riep: 'Mevrouw Paddeburg!'

'Wat?' vroeg ik.

Teuntje kwam naast me staan. Achter haar zag ik Harrie grommen tegen Elisabeth en Jennifer, waardoor mijn schatjes hard wegtrippelden en angstig in een hoekje gingen staan.

Normaal gesproken zou ik daar wat van zeggen, maar ik was veel te benieuwd naar wat Teuntje te zeggen had. Ze rechtte haar rug en zei: 'Mevrouw Paddeburg heeft tijdens het hondencarnaval steeds foto's gemaakt van Jennifer, Elisabeth en Karla. Dat viel me op!'

'Wanneer was dat?' vroeg ik geschrokken. Mevrouw Jellema hoorde ik door de telefoon roepen: 'Het is niet te geloven!'

'Tijdens de uitreiking,' antwoordde Teuntje. Ze trok de kauwgom in een lange sliert uit haar mond en strekte haar arm ver voor zich uit. Scheel keek ze naar de slinger die strak uit haar mond stak. Ook hier zei ik dit keer niets van, want ik wilde het fijne weten van wat ze die dag gezien had.

Teuntje propte de kauwgom weer in haar mond en zei: 'Dat was toen de derde en tweede prijs werden uitgereikt.'

'Maa-aa-aar ...' stotterde mevrouw Jellema aan de andere kant van de lijn. 'Waarom heeft ze niet eerder foto's van ze gemaakt dan? Bijveurbeeld toen ze in haar salon onze beesten verpestte?'

Ik zuchtte diep. 'Misschien was ze toen nog niet op dat idee gekomen. Of ze had bedacht dat het te veel zou opvallen als ze onze hondjes fotografeert in haar eigen salon.' Teleurgesteld keek ik naar mijn pink, waar de plaknagel vanaf was gevallen. Het zag er een beetje armoedig uit. Ik besloot om er die avond snel weer een nieuwe nagel op te bevestigen.

'Ja, daar zegt u wat,' zei mevrouw Jellema. 'Mevrouw Knol, wat zegt u ervan als ik vanavond even langskom? Er moet nodig iets gebeuren, want dit loopt vreselijk uit de hand.'

'Prima, uitstekend.' De plaknagel, dacht ik geschrokken. Nou, dan moest dat morgenochtend maar, er zat niets anders op.

Mevrouw Jellema kuchte bescheiden. 'We moeten iets bedenken, iets slims! Mevrouw Paddeburg heeft de grens zeer overschreden.'

‘Ik ben het geheel met u eens! Komt u gerust langs. Na het avondeten zal ik Teun naar boven sturen. Dan kunnen we onder het genot van een glaasje hier uitgebreid over vergaderen.’ Teuntje leek het verder niet te interesseren. Verveeld staarde ze voor zich uit, net of ze ons telefoongesprek niet hoorde.

Toen ik neerlegde, sprong ik op om naar de zaak te gaan. Ik kom niet zo heel vaak meer in mijn warenhuis. Eigenlijk doe ik vandaag de dag alleen de inkopen op de beurzen, omdat ik het zo enig vind om mooie kleding uit te zoeken, die speciaal voor honden ontworpen wordt. Sinds enige tijd verkoop ik ook carnavalskleding en bruidskleding. Ik ben helemaal in mijn element als ik van die snoezige trouwjaponnen in mijn hand hou. Ik vraag me dan af hoe zo’n enige sluier bij mijn Elisabeth of Jennifer zou staan.

Eens in de week wandel ik even langs de zaak en babbel ik kort met het personeel. Dit om de indruk te wekken dat warenhuis Woef me bezighoudt. Het is absoluut waar dat mijn warenhuis, mijn kindje, me zeer interesseert. Maar het is anders dan een aantal jaren geleden. Jarenlang heb ik hard gewerkt en heb ik een goedlopende zaak neergezet. Daarom geloof ik nu dat ik het grotendeels aan anderen kan overlaten.

Enfin, nu was ik dus van plan om het rondje personeel te doen, maar eenmaal door de draaideuren voelde ik ineens een enorme onrust in me. Over drie weken was de show al. Ik moest zo snel mogelijk regelen dat mijn Elisabeth en Jennifer wél mochten meedoen aan de show. Ook moest ik natuurlijk voor die tijd een permanentje voor Jennifer regelen, en een normale staart voor Elisabeth. Maar dat was van later zorg.

Nadat ik op de hondenparfumafdeling was geweest, trok ik mij terug in het kantoortje waar ik enkele jaren geleden nog veel tijd doorbracht.

Ik haalde een papier uit de la en begon te schrijven:

Geachte heer Saltem,

Tot mijn grote schrik liet u me in uw brief weten dat u mijn hondjes Elisabeth en Jennifer niet geschikt acht voor deelname aan de hondenshow. Ik begrijp uw besluit, alleen is het niet terecht. De foto's die u ontvangen hebt, zijn genomen tijdens de hondencarnavalsoptocht, of liever gezegd: tijdens de prijsuitreiking.

Het is u opgevallen dat mijn poedel geen krullen heeft op de foto en mijn andere hond heeft op de foto een gek gekleurde staart. U moet weten dat speciaal voor deze gelegenheid mijn poedel Jennifer tijdelijk ontkruld was en dat het staartje van mijn chihuahua Elisabeth geverfd was met kleurshampoo. Beide metamorfoses waren dus van tijdelijke aard.

In werkelijkheid voldoen mijn beide honden aan alle eisen om aan een hondenshow mee te kunnen doen. Daarom vraag ik u vriendelijk om ze net als alle andere jaren wel deze kans te geven. U kunt bij uw collega's controleren dat ze al eerder meededen en zelfs zeer hoog scoorden.

In een bijlage voeg ik de stamboom en recente foto's van mijn hondjes Elisabeth en Jennifer toe.

Hoogachtend,

Mevrouw Knol

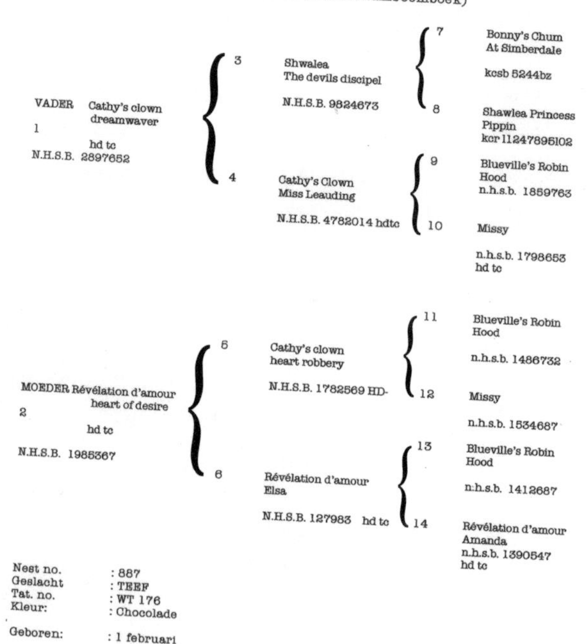

STAMBOOM van de chihuaha
NAAM: Elisabeth

n.h.s.b. 2114089
(Nederlandse Hondenstamboomboek)

VADER Cathy's clown dreamwaver
1
hd tc
N.H.S.B. 2897652

3 Shwalea The devils discipel
N.H.S.B. 9824673

7 Bonny's Chum At Simberdale
kcsb 5244bz

8 Shawlea Princess Pippin
kcr 11247895102

4 Cathy's Clown Miss Leauding
N.H.S.B. 4782014 hdtc

9 Blueville's Robin Hood
n.h.s.b. 1859763

10 Missy
n.h.s.b. 1798653
hd tc

MOEDER Révélation d'amour heart of desire
2
hd tc
N.H.S.B. 1985367

5 Cathy's clown heart robbery
N.H.S.B. 1782569 HD-

11 Blueville's Robin Hood
n.h.s.b. 1486732

12 Missy
n.h.s.b. 1534687

6 Révélation d'amour Elsa
N.H.S.B. 127983 hd tc

13 Blueville's Robin Hood
n.h.s.b. 1412687

14 Révélation d'amour Amanda
n.h.s.b. 1390547
hd tc

Nest no. : 887
Geslacht : TEEF
Tat. no. : WT 176
Kleur: : Chocolade
Geboren: : 1 februari
Fokker : B.J.K. van Dam
Heerhugowaard
Eigenaar : Mevrouw Knol

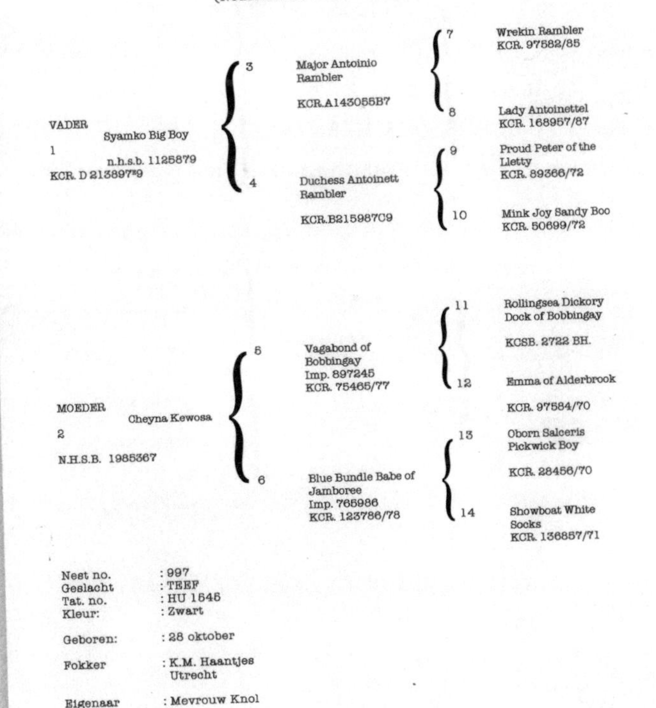

STAMBOOM van de poedel
NAAM: Jennifer

n.h.s.b. 1305997
(Nederlandse Hondenstamboomboek)

Ouders	Grootouders	Overgrootouders
VADER 1 Syamko Big Boy n.h.s.b. 1125879 KCR. D 213897°9	3 Major Antoinio Rambler KCR.A143055B7	7 Wrekin Rambler KCR. 97582/85
		8 Lady Antoinettel KCR. 168957/87
	4 Duchess Antoinett Rambler KCR.B215987C9	9 Proud Peter of the Lletty KCR. 89366/72
		10 Mink Joy Sandy Boo KCR. 50699/72
MOEDER 2 Cheyna Kewosa N.H.S.B. 1985367	5 Vagabond of Bobbingay Imp. 897245 KCR. 75465/77	11 Rollingsea Dickory Dock of Bobbingay KCSB. 2722 BH.
		12 Emma of Alderbrook KCR. 97584/70
	6 Blue Bundle Babe of Jamboree Imp. 765986 KCR. 123786/78	13 Oborn Salceris Pickwick Boy KCR. 28456/70
		14 Showboat White Socks KCR. 136857/71

Nest no. : 997
Geslacht : TEEF
Tat. no. : HU 1646
Kleur: : Zwart

Geboren: : 28 oktober

Fokker : K.M. Haantjes
Utrecht

Eigenaar : Mevrouw Knol

9 Teuntje Knol

Niet alleen de honden zijn knotsgek, mijn moeder kan er inmiddels ook wat van. Of is het andersom? Ja, het is natuurlijk andersom! Doordat mijn moeder op een dag een tik van de molen heeft gehad, worden haar honden knotsgek. En omdat haar honden knotsgek zijn geworden, ontmoeten mijn moeder en haar honden natuurlijk andere knotsgekke mensen met knotsgekke honden.

Om aan te geven hoe mijn moeder haar leven laat leiden door het knotsgekke hondengedoe, hier een kijkje op haar website. Vandaag heeft ze er antistres-tips op gezet. Dit is speciaal voor baasjes van wie de honden meedoen aan de hondenshow:

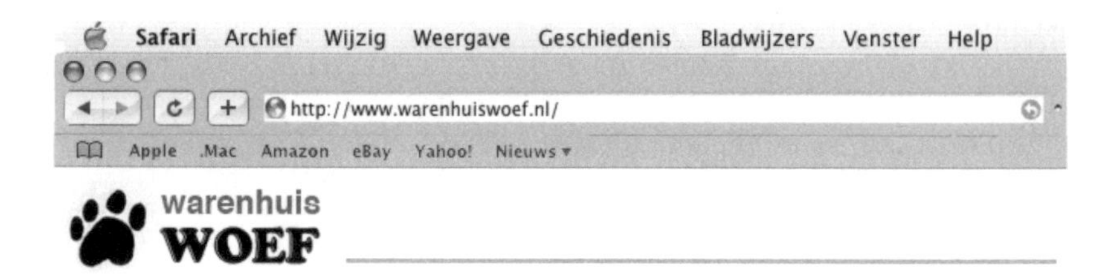

Antistres-tips

1. Aai uw hond. Dat is een prima manier om uw bloeddruk omlaag te krijgen.
2. Denk aan iets positiefs, bijvoorbeeld: ik ben ontspannen en voel me goed.
3. Gaap. Het staat misschien niet beleefd, maar een paar keer gapen zorgt voor zuurstof, ontspant uw kaakspieren en stimuleert het traanvocht.

4. Geef uzelf een paar minuten de tijd om u zorgen te maken over alles wat er mogelijk mis kan gaan. Meer tijd krijgen de zorgen niet, na maximaal vijf minuten draait u de knop om.
5. Eet een banaan. Bananen bevatten bepaalde stoffen die u energie en een goed gevoel geven.
6. Neem een paar pepermuntjes voor een frisse adem. Uw adem verraadt namelijk aan uw hond dat u zenuwachtig bent.

Wat een onzin, vind je niet? Vooral dat gapen en die banaan! En wat dacht je van die pepermuntjes. Sorry hoor, maar ik denk dat Harrie liever heeft dat mijn adem naar paardenstront of verrotte vis ruikt. Pepermuntjes, die is goed! Pepermuntjes ruiken voor honden hetzelfde als voor ons zure kots ...

Maar goed, wat ik eigenlijk wilde vertellen is het volgende: mijn moeder en mevrouw Jellema zijn volledig aan het doorslaan.

Gisteren laat in de middag kwam mijn moeder thuis met Jennifer en Elisabeth. Ze was helemaal naar de andere kant van het land gereden om een andere beautysalon op te zoeken. Mijn moeder kon het niet langer aanzien dat Jennifer steil haar had. Ze moest zo snel mogelijk een permanentje, zodat ze haar krulletjes weer terug zou krijgen. Je lacht je dood. Ze heeft dan wel haar krullen terug, alleen nu heeft ze heel grote krullen in plaats van piepkleine. Net of ze 's nachts met krulspelden heeft geslapen. Superkomisch! En nu mijn moeder toch bezig was, wilde ze ook Elisabeths staart terug in de oude kleur. Maar toen kreeg Elisabeth een allergische reactie waardoor haar haren daar zijn uitgevallen. Nu heeft ze een kale staart met rode vlekjes.

Mijn moeder is op van de zenuwen. Haar hondjes zijn verpest en ze weet ook nog niet zeker of ze mogen meedoen aan de hondenshow.

Het maakt mijn moeder niet uit of een van haar hondjes of het hondje Karla van mevrouw Jellema wint. Als de hond van mevrouw Paddeburg maar NIET wint.

Gisteravond, na het eten, kwam mevrouw Jellema om het een en ander te bespreken (er werd heel geheimzinnig over gedaan). Ik werd naar mijn kamer gestuurd, samen met Harrie. Ik bekeek mijn moeder even kritisch van top tot teen, net zolang tot ze me nog een keer wegwuifde. Ze zag er zo fout uit voor iemand die een koninklijk persoon op bezoek kreeg (tenminste, mevrouw Jellema lijkt erg koninklijk met haar mantels en juwelen). Mijn moeder had afschuwelijke witte laarzen aan over een te strakke roze legging en ze droeg een bodywarmer met allemaal gekleurde slierten eraan. Echt lelijk, joh!

Ik zette mijn computer aan en ontdekte dat Job, mijn chatvriendje, op de msn was.

Job – gesprek
Aan: Job<job_2001@paris.nl>

18:30:11

Job zegt:

boe!

18:31:04

Teuntje zegt:

Jee, ik schrok me dood!

18:31:55

Job zegt:

O, sorry!! 

18:32:02

Teuntje zegt:

Geeft niets, hoor!

18:32:53

Job zegt:

Alles goed?

18:33:24

Teuntje zegt:

Ja hoor. Behalve wat geheimzinnig gedoe.

18:34:01

Job zegt:

Hoe bedoel je? 

18:34:59

Teuntje zegt:

Nou mijn moeder is helemaal aan het doordraaien, samen met die vriendin van haar.

18:36:09

Job zegt:

Mevrouw Jellema?

18:36:48

Teuntje zegt:

Inderdaad.

18:37:21

Job zegt:

Wat dan?

Ineens hoorde ik een enorme gil. Ik schreef aan Job dat hij even moest wachten en ik rende de gang op. Harrie wilde met me mee; ik moest hem met kracht weer mijn kamer in duwen. Hij zette zich schrap met zijn nagels, waardoor er in de vloer een paar lelijke krassen ontstonden.

Ik sloop op mijn tenen naar beneden en legde mijn oor tegen de deur.

'En die foto van kale Helga laten we dan uitvergroten, heel groot, ter grootte van een deur, en die plakken we dan bij de ingang van de hondenvereniging.'

Mijn moeder lachte hard en zei toen ze uitgelachen was: 'Oooooh' (dat doet ze altijd aan het einde van een lach). 'En dan zetten we erop: "Ik ben Helga. Mijn baasje heeft me kaalgeschoren, maar toch doe ik graag mee aan de hondenshow."'

Mevrouw Jellema slaakte een kreet van blijdschap. 'En dan het adres erbij van Paddeburg!'

Mijn moeder grinnikte: 'Dan kan ze het wel schudden met die show! Helga zal nooit mee mogen doen! Nooit! Geweldig!'

'En in feite,' zei mevrouw Jellema, 'in feite doen we hetzelfde als wat zij ons heeft aangedaan, maar dan een tikkeltje erger.' Ze kreunde gelukzalig. 'Excuseer mij, ik moet even naar het sanitair.'

Ik stormde zo stil als ik kon de trap op. Sanitair is een net woord voor toilet, een heel net woord. Zo net dat niemand het ooit zegt. Behalve mevrouw Jellema (en de koningin).

Eenmaal weer achter de computer, vertelde ik Job wat mevrouw Jellema en mijn moeder van plan zijn.

18:45:11

Job zegt:

Krijg nou wat! Echt knettergek! Haha!
Wel spannend zo'n moeder. Bij mij thuis is het altijd hetzelfde.

18:47:01

Teuntje zegt:

Wees maar niet jaloers, hoor!
Ik schaam me diep!

18:47:53

Job zegt:

Ach joh, je moet er gewoon om lachen.

18:48:05

Teuntje zegt:

Lach jij maar. Ik vind het triest. Wat nu?

18:48:43

Job zegt:

Laat ze lekker.

18:50:11

Teuntje zegt:

Nee, dat niet.
Ik vind dat het moet ophouden.

18:50:59

Job zegt:

Ik weet het ook niet, hoor.

18:52:02

Teuntje zegt:

Ja, ik weet het wel! Ik weet het!!!!!

18:53:27

Job zegt:

Wat dan?

18:53:58

Teuntje zegt:

Vertel ik je later.
Ik moet nu iets opzoeken.

Ik logde meteen uit. Ik moest er zo snel mogelijk achter zien te komen waar de hondenvereniging was! En wanneer mijn moeder en mevrouw Jellema erheen wilden gaan ... Ik ging meteen aan de slag!

10 Mevrouw Jellema

Ik vind het werkelijk zo vreselijk dat mijn lieve Karla nog steeds die afschuwelijke krulletjes heeft. Ze lijkt wel een kruising tussen een teckel en een poedel. Wat mevrouw Paddeburg mij en Karla heeft aangedaan is geen pretje. Ze moest gestraft worden.

Kijk, Teuntje, de dochter van mevrouw Knol, zei het onlangs al, ze zei: ‘Hé, Karla is geen teckel meer maar een peckel ... of een toedel.’ Dat is zeer pijnlijk voor mij! Ze beweerde dat ik nu hartstikke hip ben, en ze liet mij een krantenberichtje lezen waarin inderdaad beweerd werd dat het tegenwoordig zeer modern is om een kruising te hebben van twee verschillende rassen. Alles mooi en aardig, maar ik heb ze nog niet zien lopen op straat (behalve mijn Karla dus).

Herhaaldelijk bevind ik mij in de afschuwelijke positie dat ik met pijn en moeite maar weer zeg dat Karla een vuilnisbakkenras is. Als ik dan die afkeurende blikken zie, zeg ik er maar bij dat het niet míjn hondje is, maar een oppashondje. (En dan voel ik me tegenover Karla zooo schuldig.)

O, mijn lieve Karla, als je maar snel de oude bent! Met je mooie ruwe vachtje. Je vachtje dat altijd glansde wanneer de zon erop scheen.

Mevrouw Paddeburg weet niet van ophouden en daarom zal zij nogmaals gestraft worden. Door haar schuld zitten mevrouw Knol en ik al dagenlang in onzekerheid. We weten nog steeds niet of onze lieve hondjes mogen meedoen aan de hondenshow. Het is werkelijk oneerlijk, want als ik op de dag van de show mijn Karlaatje een goede opknapbeurt geef, dan heeft ze grote kans om alsnog de show te winnen! Het is wel zo eerlijk als zij mee mag doen. Dat verdient ze.

De mopshond Helga van mevrouw Paddeburg zal echter als de wiedeweerga haargroeimiddel moeten slikken (wat helemaal niet bestaat voor honden), want het gaat haar nooit lukken om op de dag van de show weer de oude Helga te zijn; dat redt ze eenvoudigweg niet. De show is al over anderhalve week.

Goed, mevrouw Knol en ik zijn er heilig van overtuigd dat mevrouw Paddeburg de foto's van onze honden naar de hondenvereniging heeft gestuurd. Deze foto's zijn genomen bij het hondencarnaval. Door haar hebben ze bij de hondenvereniging besloten dat mijn lieverd niet geschikt is voor de show. Volgens de vereniging hoort een teckel geen krulletjes te hebben. Uiteraard heb ik een brief teruggestuurd en nu zit ik in spanning af te wachten.

Ondertussen hebben mevrouw Knol en ik een grandioos plannetje bedacht. Werkelijk fenomenaal! Het plannetje hebben we inmiddels ook uitgevoerd.

Onlangs, toen Helga bij ons op de hondencrèche was, heb ik stiekem een foto van haar genomen. Ik begrijp overigens nog steeds niet waarom mevrouw Paddeburg haar hond blijft brengen. Ik zou zelfs wel willen dat ze ermee ophield. Het valt me elke keer zwaarder om mevrouw Paddeburg bij mij op de stoep aan te treffen, alsof er niets aan de hand is. Enfin, het kwam nu wel goed uit vanwege de foto die ik wilde schieten.

Deze foto is prachtig scherp genomen en ik heb hem enorm laten uitvergroten: twee meter lang en anderhalve meter breed. Met een dikke stift en met grote letters hebben we het volgende erop gezet:

IK BEN HELGA. IK BEN DAN WEL KAAL, MAAR TOCH DOE IK STRAKS MEE MET DE HONDENSHOW. IK BEN AL INGESCHREVEN

MAAR WIL NOG EEN KEER EXTRA OPVALLEN D.M.V. DEZE FOTO IN DE HOOP DAT IK DE SHOW STRAKS ECHT ZAL WINNEN. MET VRIENDELIJKE GROETJES,

HELGA PADDEBURG - a.paddeburg@beautysalonpaddeburg.nl

Klokslag vier uur 's nachts stond ik bij mevrouw Knol op de stoep, met mijn teckeltje Karla, want zij moest over mij waken.

Mevrouw Knol kwam naar buiten. Ze zag er slaperig uit en voor het eerst had ze geen make-up op, tenminste, zo had ik haar nog nooit eerder gezien. Het viel me op dat ze er tien jaar ouder uitzag en een stuk wijzer. Gek toch wat make-up met een mens kan doen. Samen liepen we door het donker. In de stilte hoorde ik Karla's nageltjes op de straattegels tikken. Het was een geestig geluid.

Mevrouw Knol en ik hadden beiden een schoolkampgevoel. Alsof we jong waren en 's nachts met de klas door het donker liepen om verderop een kampvuur te maken. Zeer spannend. Heel even zongen we zachtjes: 'De paden op, de lanen in ...' Maar verder wisten we het liedje niet meer.

De grote poster van Helga hield ik in een stevige koker onder mijn arm. We naderden giechelend de duinen en er klonk zacht getjirp van krekels. Tegenover de duinen liep de Zandstraat. Daar stond het gebouw van de hondenvereniging. Het was wel een beetje griezelig zo in het donker en in de stilte.

Toen kwamen we bij de deur. Ik kreeg de schrik van mijn leven: er sprong een lampje aan. Karla begon onmiddellijk schel te keffen.

'Ssst!' siste ik. Ik stond ineens strak van de spanning. Gelukkig begon mevrouw Knol te giechelen, waardoor ik ook ineens inzag dat het grappig was.

Toen gingen we aan de slag. Ik durf het nauwelijks te vertellen, want wat we deden mag volstrekt niet; het is werkelijk ongeheurd. Maar we hadden geen andere mogelijkheid. Kijk, als we met tape aan de slag waren gegaan, liepen we het risico dat iemand de poster er voor dag en dauw af zou trekken. Dus we móésten wel met secondelijm aan de slag. Tja, dat is eigenlijk vandalisme, daar ben ik me zeer bewust van. Deze lijm is namelijk zo heftig dat de poster met geen mogelijkheid van de deur te peuteren is. Dus zal de lijm de hele deur vernietigen; tenminste, dat vermoed ik.

Maar ik heb nooit eerder in mijn leven iets onbehoorlijks gedaan. Dus één keer in mijn leven mocht ik wel de stoute schoenen aantrekken!

Daar gingen we. We legden de poster van Helga op zijn rug en spoten de achterkant helemaal nat met secondelijm. In eerste instantie begon Karla hard te blaffen; ze heeft een hekel aan alles wat gespoten wordt. Soms lijkt ze wel een kat: zodra de tuinslang aangaat, is ze binnen een seconde verdwenen, ergens de bosjes in.

Maar gelukkig kreeg ik haar stil. Ik keek haar met grote ogen aan en zei: 'Koest!' Dat maakte indruk. Ze ging liggen en legde haar kop plat op de grond.

Eindelijk was het zover. We wilden de poster optillen, maar toen sprintte Karla ineens op de poster af en sprong zo op de achterkant.

'Nee!' gilde ik.

Daarna sprong ze er weer af en begon meteen vreselijk te piepen. Ik liet de poster los en siste dat ze stil moest zijn, maar ze bleef maar zachtjes doorpiepen. Heel zielig eigenlijk. Ik controleerde de onderkant van haar poten en zag dat ze in de brandnetels was gaan staan. De brandnetels zaten nu met de lijm helemaal aan haar pootjes geplakt. Zo zielig.

Ik wilde net de brandnetels eraf peuteren met een zakdoekje (wat zeer lastig ging) toen Karla ineens van me wegsprong en hard begon te blaffen tegen een schim verderop.

Ik slaakte een kreet. De schim schoot weg.

Karla blafte nog harder, maar ze was te bang om erachteraan te rennen. Fijn zo'n waakhond. Ze stond te trillen op haar poten.

'Wat was dat nou?' hoorde ik achter me.

Ik was nog te beduusd om te antwoorden. Ik wist bijna zeker dat de schim veel weg had gehad van Teuntje. Maar nee, dat kon toch niet?

'Nou?'

Ik draaide me om. Ik zag meteen de poster hangen. Die had mevrouw Knol in haar eentje tegen de deur geplakt.

Ik tilde Karla op en zei zacht: 'Wegwezen! Ik zag een schim.'

Meer hoefde ik niet te zeggen. Mevrouw Knol bleek net zo bangig als haar eigen hondjes (en als ikzelf op dat moment). We holden en struikelden en sprintten weg. Ik wilde zo snel mogelijk weer veilig thuis zijn ...

11 Teuntje Knol

Zouden ze me gezien hebben? Ik twijfel er steeds over. Kijk, mevrouw Jellema keek me recht in het gezicht aan. Maar het was wel aardedonker. Als het zo donker is, dan zie je toch alleen een soort zwarte vlek?

Ik spuug mijn kauwgom uit mijn mond. Hij komt recht op Harries kop terecht. Harrie kijkt even suf op, legt zijn kop weer op de vloer en sluit zijn ogen. Ik probeer voorzichtig met duim en wijsvinger het kauwgompje van zijn kop te schieten maar Harrie heeft het meteen door. Hij opent zijn ogen, springt op en holt op het kauwgompje af. Ik ren achter hem aan om hem tegen te houden, maar met zijn staart veegt hij de vaas van tafel. Pletsj! Duizenden scherven.

Harrie schrikt en rent blaffend weg. Dan beginnen Jennifer en Elisabeth afschuwelijk te keffen, waardoor Harrie vals tegen ze gromt. En mijn moeder gilt heel dramatisch: 'O neeeeeee!' Ze reageert de hele avond al overdreven.

'Het is maar een vaas, hoor,' zeg ik geërgerd.

Nu wordt mijn moeder heel kwaad. Haar gezicht neemt de kleur aan van haar paarse pluizentruitje. 'Je gaat nu de scherven opruimen, plus de kauwgom, en binnen vier weken wil ik een nieuwe vaas zien, gespaard van jouw zakgeld.'

Jee, wat aanstellerig zeg! En dat om zo'n lelijke vaas. Ik pak vermoeid de stoffer en blik en veeg de troep op. Het kauwgompje blijft in de stoffer plakken. Net mooi, denk ik. Dat laat ik lekker zitten!

Als ik klaar ben, plof ik weer op de bank. Het is een suffe avond. Het regent pijpenstelen, Job is niet op de msn en mijn vriendinnen zijn allemaal met vakantie (die gaan volgens mij iedere vakantie met vakantie).

Ik denk aan de nacht ervoor. Bijna wil ik tegen mijn moeder zeggen: 'Wat zie je er moe uit.' Maar dat valt te veel op. Toch is het zo. Ze heeft veel lijnen in haar gezicht en ze ziet erg pips. Ook is ze steeds maar in een pesthumeur. (Echt gemeen, hoor: ik moet altijd vrolijk zijn, terwijl zij de hele dag loopt te vitten.)

Eerlijk gezegd denk ik niet dat ze me herkend hebben vannacht. Anders had mijn moeder er toch wel wat van gezegd?

Ik had nog niet verteld wat ik vannacht heb gedaan, toch? Midden in de nacht heb ik mevrouw Jellema en mijn moeder achtervolgd, met voor de zekerheid een bus graffiti in mijn zak. Dat was om vier uur 's nachts. Halverwege (ze waren onderweg naar de hondenvereniging) begonnen ze ineens te zingen: 'De paden op, de lanen in ...' (zoiets ... ik ken het liedje eigenlijk niet). Om je dood te schamen! Ze denken af en toe dat ze tien zijn of zo. En die Karla, de teckel van Jellema, maar hijgen onderweg. Echt een conditie van een oude vent heeft dat beest.

Toen kwamen we aan bij de hondenvereniging en ik verstopte me achter een bosje. Wat ik toen zag ... Mijn moeder en mevrouw Jellema rolden een groot stuk papier uit en mijn moeder had een spuitbus in haar hand, spuitlijm, waar ze het papier mee onderspoot. Heel apart. Ik moet zeggen dat ik dat wel een grappig gezicht vond.

Karla, die hond van Jellema, begon heel hysterisch te blaffen. Ik moest echt mijn lach inhouden toen dat beest op dat grote vel papier sprong. Het suffe beest stapte erna ook nog in de brandnetels, dus nog meer paniek. Ik hield mijn adem in en klemde stevig mijn kaken op elkaar. Maar toen leek het net alsof die teckel mij ineens zag. Ze begon hard tegen me te blaffen. Van schrik sprong ik op, en volgens mij zag mevrouw Jellema mij toen (maar dat weet ik niet zeker).

Ik ben weggerend en heb me heel lang verstopt achter het gebouw. Ik had het ijskoud en in de verte zag ik al een vaag schijnsel van het daglicht. De krekels werden stiller en hier en daar begonnen de vogeltjes alweer te tjilpen.

Ik durfde het wel weer aan. Ik sloop naar de voorkant van het gebouw. Ze hadden een grote poster op de voordeur van de hondenvereniging geplakt, precies zoals ze van plan waren geweest. En op die poster stond Helga, de mopshond van mevrouw Paddeburg. Nog steeds was ze kaal (nog steeds van het hondencarnaval) en mijn moeder had er teksten op gekliederd (ik herkende meteen haar handschrift).

Ik wist eigenlijk wel dat ze dit van plan waren, maar toch verwacht je niet van je eigen moeder dat ze het dan echt gaat doen. Ik was blij dat ik mijn graffitibus bij me had. Ik heb alle tekst weggespoten en ik heb Helga zo beklad dat je niet meer kunt zien dat ze kaal is. Het is een heel gekke poster geworden en ik heb in mijn eentje hard staan lachen. Wat zullen die lui van de hondenvereniging verbaasd zijn. Ze zullen wel denken: wat moeten we hier nu weer mee?

Kijk, ik heb er een foto van geschoten:

Natuurlijk wilde ik eigenlijk de poster van de deur trekken, maar dat lukte met geen mogelijkheid. Het leek wel of ze superlijm hadden gebruikt. Het was maar goed dat ik mijn graffiti bij me had.

Nu is de score weer gelijk, dacht ik deze ochtend. Geen toestanden meer (hoopte ik). Vanmorgen kreeg mijn moeder een brief van meneer Saltem van de hondenvereniging dat haar hondjes toch mee mogen doen aan de hondenshow. Hij bood zijn excuses aan en hij legde uit dat hij een stomme vergissing had gemaakt.

Vlak erna belde mevrouw Jellema met hetzelfde nieuws: ook haar teckel mag toch meedoen aan de show. Zaten ze door de telefoon een beetje te gniffelen. Echt triest. Ze denken natuurlijk dat hun hondjes lekker wel mee mogen doen en Helga van mevrouw Paddeburg niet. En dat terwijl ik weet dat Helga ook gewoon mee mag doen. Want de hondenvereniging kan de tekst op de poster helemaal niet lezen. Dus weten zij veel dat het Helga is die op de poster staat.

Maar nu het volgende.

Vandaag overdag gingen Jennifer en Elisabeth naar de hondencrèche van mevrouw Jellema. Mijn moeder wilde langs haar warenhuis Woef om haar rondje personeel te doen. Ze wilde ook weten of de nieuwe bruidskleding al binnen was gekomen. Die had ze vorige week besteld en sindsdien belt ze bijna iedere dag naar de zaak. Volgens haar zullen er dankzij haar nieuwe bruidskleding straks veel meer honden trouwen dan voorheen. Ten slotte is ze bezig met het organiseren van een hondenmodeshow. Over een maand zal die plaatsvinden in Woef. (Ik snap niet wat daar nou leuk aan is. Iedereen weet al dat het een zooitje gaat worden. De vorige keer sprongen alle mannetjeshonden op de catwalk omdat een van de vrouwtjeshonden loops was. Het werd een heftig gevecht!)

Maar goed, mijn moeder had gevraagd of ik aan het einde van de dag Jennifer en Elisabeth wilde ophalen. Ik had er eigenlijk niet veel zin in. Maar mijn moeder beloofde dat we dan vanavond kaasfondue zouden eten (is mijn lievelingseten). Harrie moest ik thuislaten, want anders zou hij in zijn eentje alle hondjes terroriseren.

Ik wandelde in mijn eentje over de lange oprijlaan van Jellema. Achter het huis was de speelplaats, waar alle hondjes door elkaar renden. Ik kwam er voor het eerst. Er was een zandbak waar de honden kuilen konden graven. En een minirenbaan waar je alleen een sprint kon trekken als je een sjie-wa-wa was. Ook hadden ze hoepels waar de beesten doorheen konden springen. Ik vond het allemaal een beetje overdreven, maar het zag er wel geinig uit.

Ineens kwam mevrouw Paddeburg aangelopen, met boze, grote passen. Ze zag er woest uit. Haar haar spriette alle kanten op en tussen haar wenkbrauwen zat een grote bobbel. Ineens trok ze een spuitbus uit haar jaszak. Ze stapte over het hekje van de speelplaats. Toen spoot ze met snelle bewegingen allemaal rode stippen op Jennifer, Elisabeth en Karla.

Mevrouw Jellema stormde op haar af en trok haar naar achteren. Mevrouw Paddeburg duwde met haar ellebogen mevrouw Jellema van zich af, waardoor mevrouw Jellema naar achteren viel. Ze zag er helemaal niet meer koninklijk uit. Verbijsterd tuurde ze naar mevrouw Paddeburg, die haar hondje Helga aan de riem nam.

'Ziezo!' zei mevrouw Paddeburg. 'Dit is mijn laatste woord. En waag het niet om nog iets terug te doen. Hoe durven jullie een poster van mijn Helga op zo'n afgrijselijke manier op de deur van de hondenvereniging te plakken? En dan ook nog eens helemaal volgekrast!' Haar ogen waren zo groot dat ze bijna uit hun kassen leken te rollen.

Mijn moeder en mevrouw Jellema weten natuurlijk niet dat ze met dat gekras mijn graffiti bedoelde. Zij denken dat mevrouw

Paddeburg gewoon hun tekst bedoelt. Dus mijn moeder en mevrouw Jellema gaan ervan uit dat mevrouw Paddeburg eerdaags een brief ontvangt van meneer Saltem waarin staat dat Helga niet mee mag doen aan de hondenshow.

Maar even nog over de drie roodgestippelde hondjes:

– Jennifer (de poedel) heeft vandaag de dag van die grote, belachelijke krullen MET RODE STIPPEN.

– Elisabeth (de sjie-wa-wa zeg maar) heeft een kaal staartje met rode vlekken van de allergie MET over haar hele lijf RODE STIPPEN.

– Karla (de teckel) heeft nu piepkleine krulletjes MET RODE STIPPEN.

En die rode stippen gaan er niet zomaar meer uit. Het schijnt permanente verf te zijn. Dus je begrijpt wel waarom mijn moeder extra uit haar doen is (maar dat geeft haar niet het recht om zo kattig tegen mij te zijn!).

Nog steeds wil mijn moeder met Jennifer en Elisabeth meedoen aan de hondenshow. Die show is al over anderhalve week. Maar voor die tijd komt het NOOIT goed met die hondjes!

Nu zit mijn moeder somber voor zich uit te staren. Toch zie ik af en toe een stoute twinkeling in haar ogen. ‘Teun?’ vraagt ze ineens.

‘Ja?’

‘Jij gaat toch ook mee naar de hondenshow?’

O jee, dat was ik bijna vergeten. Dat had ik beloofd ja! Hier kon ik niet meer onderuit. Eigenlijk zou ik komen om die mopshonden weer om te ruilen. Maar ja, dat is allang van de baan.

Mijn moeder zwijgt even en mompelt: ‘Zonder Harrie.’

Ik knik.

Mijn moeder springt op. Ze stormt de kamer uit en zegt: ‘Ik ben even naar mevrouw Jellema.’

12 Mevrouw Paddeburg

Zoals de meeste mensen wel weten, is mijn Helga de mooiste mopshond. Wat zeg ik? De mooiste hónd die er bestaat. Haar gebit is puntgaaf, haar vacht glanst (glansde eigenlijk – ze is nu natuurlijk kaal, het arme beestje), ze heeft levenslustige ogen en ze is prachtig gespierd maar toch slank. Echt om door een ringetje te halen. Altijd ben ik trots geweest op mijn snoediefloedie.

Ik hou van Helga als van een dochter. Mijn liefde voor haar gaat heel diep. Als zij ooit sterft, sterft er ook iets in mij. Brrrrr, ik moet er níét aan denken.

Ik kan me als de dag van gisteren herinneren dat ik haar voor het eerst zag zwemmen. In zee. Ik had kunnen schrikken, want ze droeg die dag een spiksplinternieuw winterjasje van dons. Het was roze en had een witte, pluizige bontkraag. Zo snoezig! Het jasje had een vermogen gekost. En toen sprong Helga met het jasje aan in de grote, viezige, modderige zee. Maar ik schrok niet, o nee! Ik was zo verschrikkelijk trots. Ik voelde mijn ogen vochtig worden en pinkte ontroerd een traantje weg. Ik zag dat lieve kopje van Helga tussen de golven boven het water steken. En ze hield me scherp in de gaten, dat had ik heus door. Ja, ze was zelf natuurlijk ook trots, en het was belangrijk voor haar dat ik haar zag.

Ja, die avond, en dan spreek ik alweer over vier jaar geleden, kreeg ze een lekker stuk malse biefstuk van me! Ze had het echt verdiend, mijn schatje.

Ik heb zelf geen kinderen. Maar ik denk dat ik die dag hetzelfde voelde als een moeder die trots is op haar kind omdat het net haar zwemdiploma heeft gehaald.

O, o, o en moet je haar nu eens zien, mijn arme snoediedoedie. Morgen is de show, en ze heeft nog steeds geen haar op haar lijfje. De dierenarts had nog wel gezegd dat Helga's haar zo weer aangegroeid zou zijn. Mooi niet! Arme Helga, mijn poekie! Maar we zullen meedoen! We laten ons niet kennen. Van tevoren zal ik aan de organisatie uitleggen hoe dit zo gekomen is. Ook vertel ik erbij dat Helga normaal gesproken een prachtige, glanzende vacht heeft. Ik zal wat foto's mee moeten nemen van vroeger om dit te bewijzen.

Om aan te geven hoe menselijk mijn Helga is: het lijkt wel of ze zelf ook nerveus is voor de hondenshow. Ze trippelt maar heen en weer. Ook zit ze op haar nagels te bijten. En ze staart zo nu en dan strak voor zich uit, terwijl ze haar kop plat op de rand van de mand legt. Ze is helemaal niet zo ontspannen als anders. Uiteraard heeft ze de laatste tijd veel meegemaakt als je het helder bekijkt, maar het stemt mij niet gerust dat ze zo zenuwachtig doet.

Dus ik heb gisteren toch nog een keer die dierenpsycholoog, meneer Kopzorg, gebeld. Nou, het is werkelijk niet te geloven; de man is zo allervriendelijkst! Met alle geduld van de wereld luisterde hij naar mijn verhaal. Af en toe vroeg hij dingen over haar slaapgedrag en hoe ze uit haar ogen keek. Hij wilde van alles over haar weten.

Uiteindelijk zei de dierenpsycholoog heel rustig: 'Mevrouw Paddeburg, maakt u zich niet ongerust. Ik zal u iets opsturen waardoor uw hond zeker kalmer wordt. Het komt helemaal goed met haar!'

Vanochtend ontving ik een pakje in mijn bus met een krantenartikel erin, een cd en een briefje.

Hier het krantenbericht:

Hondenradio
In Thailand kunnen honden naar hun eigen radiostation luisteren. *Dog radio Thailand* belooft de luisteraars non-stop muziek, afgewisseld met blaffende dj's. De bedenker van het radiostation kwam op het idee omdat het hem was opgevallen dat veel honden kwispelen als ze muziek horen.

Uit: Kidsweek

Op het briefje stond:

Geachte mevrouw Paddeburg,

Enkele maanden geleden ben ik in Thailand geweest. Speciaal omdat ik over Dog Radio Thailand gehoord had. Ik was daar reuzebenieuwd naar.

In Thailand heb ik van verschillende afleveringen een opname weten te maken, en ik kan u vertellen dat de honden hier inderdaad positief op reageren.

Ik stuur u een opname van een speciale aflevering, die heet: 'Yoga en meditatie voor honden.' U zult merken dat Helga na het beluisteren hiervan een herboren hond is.

Ik wens u veel sterkte. Mocht u nog iets te vragen hebben, schroom dan niet contact met mij op te nemen. Succes met de show!

Met vriendelijke groet,

Dierenarts Kopzorg

Echt zo vriendelijk van deze man! Heel prettig! Ik heb alleen iets heel geks ontdekt. Volgens mij spreken honden net als mensen allemaal een eigen taal. Helga werd namelijk alleen maar nerveus van dit radioprogramma. Ze ging helemaal niet kwispelen. Nee hoor, alleen maar blaffen (in het Nederlands waarschijnlijk). Vooral wanneer ze de blaffende dj's hoorde, raakte ze compleet uit haar doen.

Wat ik vermoed, is dat die honden op de cd (van het radioprogramma) in het Thais blaffen. Helga raakt, denk ik, van streek omdat ze er niets van verstaat.

Als je het nog niet gelooft: kijk, tegen een Nederlandse hond zeg je bijvoorbeeld: 'Schatje!' Maar tegen een Engelse hond zeg je: 'Darling!' Dus het is niet zo gek dat Engelse honden Engels gaan blaffen, Thaise honden Thais en Nederlandse honden Nederlands.

De cd heb ik snel afgezet. Helga moest zo vlug mogelijk weer tot zichzelf komen, want nog één nachtje slapen en dan gaat het gebeuren: kaal of niet kaal, Helga moet naar de show! Ze zullen heus door haar nieuwe uiterlijk heen kunnen kijken en ook door haar gedrag. Er blijft nog zoveel over wat geweldig is aan haar, mijn snoepiedoepie.

Ik zette de stereo uit; deze staat in mijn glazen wandkast vlak bij het raam. En op dat moment zag ik mevrouw Jellema en mevrouw Knol langs mijn huis lopen. Ze tuurden beiden ongegeneerd naar binnen. Vlak erna zag ik Teuntje, de dochter van mevrouw Knol (die kauwgometende sloddervos), achter ze aan lopen, maar Teuntje keek niet naar binnen. Het was net alsof Teuntje de dames achtervolgde.

Drie kwartier later gebeurde hetzelfde. Weer keken de dames brutaal mijn huis in (doordat de zon fel scheen, zagen ze mij niet staan, denk ik). En weer even later zag ik Teuntje erachteraan sluipen. En weer. En nog een keer. Ik werd er bloednerveus van.

Wat waren zij toch van plan?

13 Teuntje Knol

Ik heb me nog nooit zo geschaamd! Vanmiddag heb ik ontdekt dat mijn moeder en mevrouw Jellema iets van plan waren wat helemaal niet in de haak is. Het ging natuurlijk weer om die rotshow. Ze doen alsof het om een internationale missverkiezing gaat van hun dochter. Kom op hé, het zijn maar honden!

Ik wilde per se weten wat hun plannetje was, dus heb ik ze achtervolgd. Ik rende op mijn tenen het tuinpad af, zonder Harrie. Iets verderop liepen mijn moeder en mevrouw Jellema giechelend over straat.

Wat denk je? Ik had het huis nog nooit gezien, maar ik wist meteen dat het het huis van mevrouw Paddeburg was. Er hing een groot bord boven de voordeur met erop: BEAUTYSALON PADDEBURG. De tuin stond helemaal vol met tuinkabouters, de ene nog lelijker dan de andere. Ik snap niet wat mensen daar mooi aan vinden.

Ik heb me verstopt achter de heg en ik heb toegekeken hoe mijn moeder en haar vriendin zich afschuwelijk gedroegen. Eerst tuurden ze naar binnen, echt heel brutaal als je het mij vraagt. Ik hoorde mijn moeder zeggen: 'Ze is niet thuis, hoor.'

Toen strooiden ze het pad helemaal vol met koekjes. Ik kon uit hun gesmoes opmaken dat het de windkoekjes waren uit warenhuis Woef (die normaal gesproken gevoerd worden aan honden die verstopt zitten). De bijwerking van deze koekjes is dat honden er verschrikkelijke stinkwinden van gaan laten, zo verschrikkelijk dat niemand in de buurt durft te komen. Het ruikt nog viezer dan gekookte spruitjes.

Ik wist het! Op het moment dat mijn moeder hoorde dat

mevrouw Paddeburg wél mee zou doen aan de show, zijn mijn moeder en mevrouw Jellema meteen weer een nieuw plannetje gaan smeden.

Kinderachtig, vind je niet?

Ineens holden ze alle twee hard weg en mijn moeder riep: 'Ik zie iets bewegen achter het raam.'

Ik ben erachteraan gerend. Een kilometer verderop hebben ze zeker een halfuur bij Snackbar Henkie gezeten. Al die tijd verstopte ik me achter een muurtje.

Toen gingen ze weer terug om nog meer windkoekjes op het pad van mevrouw Paddeburg te strooien. En weer zagen ze iets bewegen waardoor ze vluchtten.

Ik geloof dat ze (we) in totaal wel vier keer bij het huis van mevrouw Paddeburg zijn geweest. Toen pas vonden ze dat er genoeg koekjes op haar pad lagen. Erg overdreven als je het mij vraagt. Als die teckel van Paddeburg alle windkoekjes in haar eentje zou opvreten, zou ze de volgende dag klinken als het getoeter van een stoomboot.

Na het avondeten, toen ik allang weer thuis was, trof ik Job aan op de chat. Ik heb hem het hele verhaal van de windkoekjes verteld. Job moest vreselijk lachen.

Job – gesprek
Aan: Job<job_2001@paris.nl>

19:35:01

Job zegt:

Geef mij van die windkoekjes.

19:35:59

Teuntje zegt:

Hoezo?

19:36:10

Job zegt:

Dan geef ik mijn juffrouw er eentje. Gaat ze zo stinken dat alle kinderen de klas verlaten.

19:36:45

Teuntje zegt:

Haha!

19:38:00

Job zegt:

Is net goed, moet ze maar niet altijd zo streng doen.

19:38:44

Teuntje zegt:

Maar wat nu? 

19:39:12

Job zegt:

Ik weet het ook niet, hoor.

19:39:52

Teuntje zegt:

Wat heb ik nou aan jou?

19:40:26

Job zegt:

Je gaat het toch niet uitmaken?

19:40:58

Teuntje zegt:

Nee joh!

19:42:01

Job zegt:

Jaaaaaa!

19:42:46

Teuntje zegt:

Wat jaaaaaa?

19:43:07

Job zegt:

Je moet terug!!

19:43:58

Teuntje zegt:

Terug naar wat?

19:44:12

Job zegt:

Terug naar dat huis met die tuinkabouters.

19:46:04

Teuntje zegt:

En dan?

19:46:39

Job zegt:

Dan raap je een paar van die koekjes op en die geef je aan die tuthondjes van je moeder en het tuthondje van haar vriendin. Gaan al die hondjes morgen walgelijke stinkscheten laten, haha!

19:47:49

Teuntje zegt:

Je bent geweldig!

19:48:18

Job zegt:

Weet ik.

19:49:55

Teuntje zegt:

Kuzzies.

20:00:01 Job zegt:

Terug..

Ik zette mijn computer uit en sprintte de trap af. Ineens bedacht ik iets wat nog veel beter zou zijn: ik moest naar de hondenvereniging om daar het hele pad onder te strooien met die windkoekjes. Bij nader inzien zou het wel grappig zijn als ál die honden aan de scheterij zouden gaan. Heeft mijn moeder toch nog haar zin.

'Wat ga je doen?' gilde mijn moeder vanuit de woonkamer.

'Een brief posten. Ben zo terug. Pas jij op Harrie?' riep ik terug. Ik wachtte niet op antwoord en holde de straat op. Buiten begon het al te schemeren en de lantaarns lieten zachte schijnsels zien.

Hijgend kwam ik bij het huis van mevrouw Paddeburg aan. Ik tuurde voorzichtig naar binnen. Gelukkig, het was donker in de woonkamer. Ik sloop het pad op en zag overal van die windkoekjes liggen. Ik raapte er een heleboel op en propte ze in mijn zak.

Toen ben ik naar de hondenvereniging gegaan op de Zandstraat. Gelukkig zag het er uitgestorven uit. Wel hingen er overal al ballonnen voor de volgende dag. Het hele pad naar de ingang toe heb ik volgestrooid met de windkoekjes. De poster van Helga was trouwens nergens meer te bekennen. Wel zaten er op de deur allemaal vlekken van papier en lijm.

Toen ik een uur later weer thuiskwam, begon mijn moeder tegen mij te zeuren. 'Teun, zo zijn we niet getrouwd!'

Ik haat het als ze dat zegt! Zo zijn we niet getrouwd! Dat zeg je toch niet tegen je dochter?

'Je rent niet zomaar de deur uit zonder overleg met mij!'

En maar zwaaien met die wijsvinger van haar.

Toen ik eindelijk in bed lag, kon ik moeilijk in slaap komen. De volgende dag zou die vreselijke show zijn waar zeker vier volledig mislukte honden aan meededen:

1. Helga, die helemaal kaal is en die ENORME STINKWINDEN ZAL LATEN.
2. Elisabeth, die een kaal staartje heeft met allergievlekken erop en die een rood gestippeld lijfje heeft en ENORME STINKWINDEN ZAL LATEN.
3. Jennifer, die met haar permanentje veel te grote krullen heeft die ook nog roodgestippeld zijn. Jennifer, die ook nog eens ENORME STINKWINDEN ZAL LATEN.
4. Karla, die speciaal deze ochtend ontkruld zou worden en die ook nog eens roodgestippeld is en ENORME STINKWINDEN ZAL LATEN.

En dan niet te vergeten al die andere honden die ENORME STINKWINDEN ZULLEN LATEN.

Wat een zooitje moest dat worden.

Ik had natuurlijk beloofd dat ik naar de show zou komen. Eerst had ik daar helemaal geen zin in gehad. Maar nu natuurlijk wel. Dat wilde ik (en Harrie) wel eens meemaken, al die windhonden.

Vanmorgen was mijn moeder enorm nerveus. Ze stelde zich vreselijk aan en ze zag er ook overdreven uit. Een te strakke broek met tijgerprint, te roze nagels, een of andere rare pluim in haar haar en een te dikke laag make-up. Alles té! En dan zei ze ook wel zeker vijf keer: 'Zonder Harrie komen, hè?'

Ik wilde iets te laat komen. Want als ik te vroeg zou komen, zou mijn moeder gaan zeuren over Harrie die ik dan toch had meegenomen. Dus toen mijn moeder om twee uur het huis verliet, zei ik dat ik eraan kwam.

Ook wilde ik te laat komen omdat ik niet het risico wilde lopen dat er nog windkoekjes op het pad van de hondenvereniging lagen. Stel je toch voor dat Harrie er een zou eten. De grootste hond ongeveer die er bestaat. Er zou meteen een heel trompetconcert klinken, waardoor alle andere windhonden helemaal niet meer zouden opvallen. Ik wachtte net zolang tot ik zeker wist dat de show begonnen was en rond tien over drie kwam ik binnenhollen ... met Harrie!

Het was een puinhoop! Alle honden schenen last te hebben van winderigheid. Het leek er wel een fanfare. En een stank! Onbeschrijflijk! Het rook er naar Franse stinkkaas, echt vreselijk. Ik hield mijn adem in en tuurde om me heen.

Rondom de ruimte waren tribunes waar het publiek zat en beneden in de ring stonden alle honden met hun baasjes. Langs de kant was een lange tafel en daar zaten vijf juryleden die allemaal hun best deden om de stank niet te ruiken. Ze wapperden met papieren of knepen hun neus dicht. Meneer Saltem, de voorzitter van de hondenvereniging, stond op een podium en keek met een pruilmond de honden een voor een aan.

Ik rende naar voren en zocht een plekje om te zitten. Meneer Saltem keek mij en Harrie even scherp aan. Hij draaide zich om, maar richtte onmiddellijk daarna zijn blik weer op mij. Met grote ogen staarde hij mij en Harrie aan. Toen keek hij nog eens naar alle knotsgekke, winderige honden en de kwade gezichten van hun baasjes (je had mijn moeder moeten zien, zo zuur heeft ze nog nooit gekeken! Ik kreeg wel een beetje medelijden met haar).

Meneer Saltem verliet het kleine podium en liep naar de lange tafel van de jury. Hij boog zich naar voren en fluisterde iets. De juryleden knikten enthousiast.

Meneer Saltem ging weer op zijn plek staan. Hij schraapte zijn keel en hield de microfoon stevig vast. Hij keek mij strak aan en vroeg: 'Jongedame, zou je even naar voren willen komen? Met je hond?'

Keek hij echt naar mij? Ik twijfelde even.

'Jij ja,' zei hij. Hij schoof zijn bril terug op zijn neus en trok een vies gezicht (maar dat laatste zal wel door de stinkwinden komen).

Ik begreep nu dat hij echt mij bedoelde, dus ik stond op en liep naar hem toe. 'Kom Harrie,' zei ik.

Toen ik vlak bij hem stond, vroeg hij: 'Hoe heet jij en hoe heet je hond?'

'Ik heet Teuntje Knol en mijn hond heet Harrie!' Ik zweeg even. 'Hij is een Heense Hog.'

'Aha!' Meneer Saltem knikte en zijn ogen twinkelden. Toen haalde hij diep adem en riep luid door de microfoon: 'Soms hoeft een hond niet door allerlei tests. Dan zie je in één keer welke hond er zal winnen. Je ziet dan een hond met een gezonde vacht, levenslustige ogen en een goede conditie. Je herkent het meteen. Je weet dat dit een hond is die kilometers ver kan rennen zonder buiten adem te zijn. Dat dit een hond is die nooit ziek is, omdat hij gezond eet. Een hond met een levenslustig karakter. Een hond met een perfect uiterlijk zonder arrogant of verwend te zijn. De lat ligt hoog op onze show, maar wij zullen één keer afwijken van onze normale procedure en eisenlijst. Zowel ik als de jury zag zojuist een hond die weliswaar niet deelneemt aan deze show, maar absoluut de stoerste, de mooiste en de gezondste hond is binnen deze ruimte van de hondenvereniging. Ik zal u niet langer in spanning houden. Dames en heren ... de winnaarrrrr ... van de hondenshow tweeduizendzeven is ... de Heense hog Harrie, de hond van Teuntje Knol!'

Ik draaide me om naar het publiek toe. Er klonk een denderend applaus en ik voelde de grond onder mijn voeten trillen. Alle knotsgekke honden begonnen te keffen en te grommen en te blaffen.

Toen keek ik naar mijn moeder, die nog met Elisabeth en Jennifer in de ring stond. Ze straalde. Ze was trots, vertelde ze net, en dat vond ik wel weer irritant. Maar toch vind ik het geweldig dat Harrie gewonnen heeft! En dat terwijl hij helemaal niet knotsgek is.

Bronnen

Kidsweek
Hondenshows, Judith Lissenberg, Tirion Natuur, 2005
www.vip-hond.nl
www.dogsdepartment.com
www.hondenhok.com
www.elite-dierenboetiek.nl
www.hondenplaza.nl
www.hippehond.nl

Andere boeken uit de serie NIEUWS!

Julia's droom

Julia Coolen wordt 'ontdekt' op de uitvoering van haar toneelvereniging.
Henk Breen heeft een bedrijfje in feestartikelen gekocht.
Een miskoop: een loods vol troep, meer is het niet.
Ralf Terlingen wordt op een dag zó ziek dat zijn vader
hem van school moet ophalen.
Wat hebben deze mensen met elkaar te maken? Niets.
Ze zouden ook nooit iets met elkaar te maken krijgen als ze niet
toevallig tegelijkertijd op een grote rotonde reden ...
En in een kettingbotsing terechtkwamen.

*Bies van Ede las het bericht 'Botsing bij Rottepolderplein'
in de krant en bedacht dat een botsing naast narigheid
misschien ook wel iets leuks kan opleveren. Lees dit boek maar!*

ff dimmen!

Thijs kijkt naar de krant op tafel.
'PESTEN OP INTERNET' staat er groot.
Daar weet ik alles van, denkt hij. Gelukkig kun je een computer uitdoen.
Maar vanaf morgen komt Isa een tijdje bij ons wonen. Als zij nou ook zo'n gemene pestkop is?
Thijs slikt. Wat erg! Dan ben ik zelfs in mijn eigen huis niet meer veilig ...

Els Rooijers las het nieuwsbericht 'Pesten op internet'.
Het liet haar niet meer los. Ze schreef er een spannend verhaal over.